LA CHINE :
une histoire
de famille

Claude Lemieux

LA CHINE : une histoire de famille

Éditions Saint-Martin

LA CHINE : UNE HISTOIRE DE FAMILLE
Composition/montage : Composition Solidaire inc.
Corrections : Jeannine Jourdain
Maquette : Zèbre Communications inc., Robert Gaboury
Photo de la page couverture : Claude Lemieux

ISBN 2-89035-073-8

Dépôt légal : Bibliothèque nationale du Québec, 1er trimestre 1984

Publié conformément au contrat d'édition de l'Union des écrivains québécois

Imprimé au Canada

DISTRIBUTION :
Diffusion Prologue inc. 2975, rue Sartelon, Ville Saint-Laurent H4R 1E6.
Tél. : 332-5860 — Ext. : 1-800-361-5751

*À mon vieil ami de Shanghaï
qui a tant aimé Tintin et le Lotus Bleu,
pour toute la richesse, la compréhension
et l'amour de vos brèves remarques.*

Introduction

> La civilisation chinoise mérite
> mieux qu'un intérêt de curiosité.
> Elle peut paraître singulière, mais
> (c'est un fait) en elle se trouve enre-
> gistrée une grande somme d'expé-
> rience humaine. Nulle autre n'a,
> pendant autant d'années, servi de
> lien à autant d'hommes.
>
> Marcel Granet,
> *La Civilisation chinoise*

À un Chinois qui visitait l'Amérique du Nord pour
la première fois, j'ai demandé ce qui le frappait le plus.
Sans hésiter, il me répondit : « L'absence de surpopulation ». Et le contraire est sans doute ce qui frappe
le plus l'Occidental qui se rend en Chine : les villes sont
surpeuplées, dans les campagnes les villages se succè-
dent à l'infini, la moindre parcelle de terre est cultivée. Sur la terre chinoise vit le quart de la population

de la terre, population qui se nourrit seulement du dixième de la superficie totale mondiale de terre cultivée.

C'est peut-être l'un des plus grands chocs auquel l'étranger est confronté quand il arrive en Chine. La Chine est pauvre. Elle est surpeuplée. Et ses habitants doivent se partager le produit d'une terre vieille et rare. La Chine se maintient encore au niveau de la stricte subsistance. Elle est à la merci des grandes catastrophes naturelles, des inondations comme des sécheresses. Malgré tout, depuis maintenant trente ans, elle réussit à nourrir sa population. J'ai vécu trois ans en République populaire de Chine. J'y vivais dans un confort de princesse par rapport aux Chinois qui m'entouraient. Pourtant ma chambre n'était pas chauffée tous les jours en hiver et je lavais mes vêtements à la main, à l'eau froide.

C'est dans le cadre d'un programme d'échange d'étudiants entre le Canada et la Chine qu'en août 1977, je débarquais à Beijing *. Je devais y passer deux ans à étudier la langue chinoise et l'histoire de la Chine. Je suis restée trois ans : une année à l'Institut des langues de Beijing et deux années à l'Université de Nanjing. Trois années où, vivant aux côtés de mes confrères et consœurs chinois, j'ai partagé leurs préoccupations, leurs joies, leurs espoirs. Années intenses, parfois difficiles mais combien riches d'amitiés et d'expériences de toutes sortes.

---

* J'utilise le système de romanisation des caractères chinois adopté par la République populaire de Chine, le système Pinyin. Dans certains cas, je ferai suivre la romanisation en pinyin par son équivalent dans d'autres systèmes qui nous sont plus familiers.

Un an auparavant, en 1976, l'arrestation de la « bande des quatre » préludait aux grands changements dont j'allais être le témoin attentif. On parlait de l'événement comme de la seconde libération du peuple chinois (la première étant la victoire des armées communistes en 1949). Pourtant, au travers de l'atmosphère euphorique des célébrations, des notes discordantes perçaient. Des silences qui n'étaient pas tout à fait des dénégations ou des approbations. Des moments où l'enthousiasme s'effaçait devant une attitude pensive, presque douloureuse. Petit à petit, au moment où les journaux abordaient à peine le problème, j'apprenais le vécu de la Révolution culturelle, les sévices infligés aux intellectuels, les combats souvent sanglants entre gardes rouges. J'apprenais l'injustice et l'arbitraire qui persistaient, au-delà de la fin de la Révolution culturelle. Et cela me touchait d'autant plus de l'apprendre de la bouche de personnes pour lesquelles j'avais beaucoup d'amitié.

Que se passait-il ? J'avais dans la tête l'image d'une Chine qui se découpait en noir et blanc, en bien et mal. J'aurais voulu croire l'aspect positif de cette image, autant pour mes amis chinois que pour moi-même, pour contrer l'image si négative et superficielle que me présentaient les médias occidentaux dans leurs reportages sur la Chine. Car, enfin, la réalité que je vivais ne s'accordait entièrement à aucune de ces images.

Je me revois discutant de tout cela, de ces problèmes économiques, politiques et sociaux avec un vieil ami chinois. Il avait beaucoup roulé sa bosse et parcouru la Chine plus que quiconque. Nous parlions d'un accrochage que j'avais eu avec la bureaucratie de l'université. Il me regardait, fronçant un peu les sourcils, un léger sourire éclairant son visage. Puis il se mit à expliquer le concept traditionnel chinois de la « face », qui implique autant de subtilité que de compromis dans les relations interpersonnelles. En fait, mon problème avec la bureaucratie n'était lié aucunement à la « face noire » du système politique chinois mais plutôt à la culture de son peuple. J'avais fait preuve d'un manque total de compréhension culturelle.

Aujourd'hui, après avoir pris du recul par rapport à cette expérience chinoise, je comprends mieux les raisons de la confusion qui m'habitait alors. Au choc de la pauvreté et de la surpopulation dont j'ai parlé plus haut, s'ajoutaient deux autres chocs, intimement liés : le choc culturel, celui qui naît face à l'héritage historique de la Chine, et le choc politique, celui de la vie dans un système socio-politique différent. Je considère que ces deux aspects de la Chine contemporaine sont liés parce qu'ils s'influencent mutuellement. L'aspect socialiste de la Chine est entièrement coloré par la culture et la tradition de son peuple. En retour, la culture chinoise s'est transformée dans certains de ses traits au contact de la nouvelle organisation socialiste. Il existe entre ces deux aspects un jeu continu d'interférences. Ce phénomène explique les jugements ambivalents et ambigus que portent souvent les Occidentaux sur la Chine. Face à une situation donnée, il n'est pas toujours facile de déterminer précisément lequel de ces deux aspects est directement en cause.

Il arrive que l'Occidental soit submergé de données contradictoires où il a du mal à faire un tri. Car pour ce faire, il doit non seulement être à l'écoute des événements, mais aussi s'atteler à l'apprentissage d'une culture différente de la sienne. Et ce n'est pas une sinécure quand on connaît la complexité et l'âge de la culture chinoise. Par ailleurs, ce processus d'initiation à une culture étrangère nécessite une ouverture d'esprit et une disponibilité qui sont difficiles à maintenir. Car l'étudiant, à ses premiers essais, est alors très vulnérable. Entre le confort d'une culture qui nous est familière et l'insécurité d'un monde inconnu, on a souvent tendance à démissionner et à expliquer ce monde selon nos propres points de référence.

Au fil des jours et des semaines à Beijing, puis à Nanjing, j'ai apprivoisé la pauvreté, la surpopulation. J'ai appris la langue chinoise, j'ai regardé, exploré, questionné. J'ai aussi beaucoup lu sur la Chine ancienne et moderne. J'ai noué des amitiés. J'ai écouté les Chinois, essayant de comprendre les allusions et les silences de leurs discours. Graduellement, mais non sans heurts, j'ai découvert sous l'image blanche ou noire de la Chine, des nuances multiples. J'ai dû laisser mes préjugés positifs ou négatifs ; j'ai dû abandonner mes illusions. J'ai ainsi apprivoisé les chocs politiques et culturels qui m'avaient laissée si démunie au tout début. Et je me suis rendu compte que la Chine n'était aucunement responsable de ces problèmes d'adaptation et de compréhension. Ma vision culturelle unilatérale m'avait joué des tours. En modifiant celle-ci, je m'étais donné les outils nécessaires pour mieux appréhender la réalité complexe et parfois contradictoire de la Chine.

Depuis quelques années, nos médias abondent en reportages sensationnels sur la Chine. Plusieurs voyageurs publient leurs impressions sur la vie chinoise.

On parle de démaoïsation, des dissidents chinois, de la pauvreté de la vie ; on cite l'inévitable confrontation avec la bureaucratie et on tente de répondre à la question du jour : les Chinois sont-ils heureux ? La lecture de tous ces textes me laisse immanquablement sceptique. On y présente souvent des faits détachés de leur contexte. On ne jure que par les dissidents comme si les gens ordinaires n'avaient rien d'intéressant à dire. On reproche aux Chinois d'être méfiants envers les étrangers, mais on oublie comment ces mêmes étrangers ont, il y a cent ans, soumis la Chine à l'humiliation des traités inégaux. J'y retrouve une vision tronquée, simplifiée à l'extrême, qui ignore autant l'histoire et la culture du peuple chinois que la complexité de la société chinoise d'aujourd'hui.

Avant de s'arroger le droit de déterminer si les Chinois sont heureux ou non, il faudrait peut-être approfondir nos connaissances sur la Chine. Il faudrait examiner sans idées préconçues les problèmes économiques, politiques et sociaux et les solutions envisagées par la Chine pour les résoudre. Il faudrait savoir si ce fonctionnaire vous refuse une faveur par bureaucratisme ou parce que vous vous y êtes mal pris et l'avez presque insulté. Il faudrait savoir qu'en Chine, le blanc est couleur de deuil, et le rouge, couleur de bonheur. Il faudrait peut-être même savoir que les Chinois du nord de la Chine préfèrent les nouilles de blé au riz à la vapeur.

C'est dans ce contexte d'informations insuffisantes et de manque de connaissances sur la Chine, que je présente aujourd'hui cet essai sur la famille et le mariage en Chine. J'espère qu'il contribuera à faire mieux comprendre, dans sa globalité et sa diversité, la société chinoise contemporaine. Si j'ai choisi de parler de la famille, c'est qu'elle représente un des aspects les plus universels de l'expérience humaine. C'est un sujet qui nous est familier et donc plus facile d'approche. En étudiant la Chine à travers l'institution familiale, je tenterai d'éclairer certains aspects de sa société, sans pour autant porter de jugements sur celle-ci. Je ne veux ici que donner des informations, des outils pour mieux comprendre la réalité chinoise moderne. Je ne ferai pas de critique systématique des politiques du gouvernement chinois par rapport à la famille. Au contraire, j'essaierai de me limiter aux réactions des Chinois en tant que société aux politiques élaborées par le Parti communiste chinois (PCC), tout en mettant l'accent sur les contingences sociales et historiques auxquelles répondent bien des directives émises à Beijing.

Mon point de départ sera la campagne de 1979-1980 contre les aspects féodaux de la famille et du mariage, dans deux revues en langue chinoise publiées à Beijing : *Femmes de Chine* et *Jeunesse de Chine*. Cette campagne critiquait nombre de comportements traditionnels reliés à la famille et au mariage. Elle présentait le problème comme étant fonction des effets rétrogrades de la Révolution culturelle et envisageait la disparition de ces survivances traditionnelles de pair avec la modernisation du pays.

Après avoir fait un bref survol de la tradition à laquelle la campagne fait référence, j'examinerai les changements survenus au sein de la famille et du mariage depuis 1949. Je présenterai ensuite les comportements féodaux qui sont critiqués. J'essaierai enfin d'expliquer les raisons de la résurgence de ces comportements pour ensuite examiner le contexte socio-économique dans lequel ils s'insèrent.

J'utiliserai autant les informations présentées par la presse chinoise que les informations recueillies sur le terrain au cours de mon séjour en Chine. Les témoignages et les informations utilisés dans les sections plus descriptives de cet essai ne constituent pas des cas isolés mais, au contraire, sont typiques de comportements et de situations contemporaines.

Cet essai fait référence à la période qui s'écoula entre la chute de la « bande des quatre » en 1976 et l'année 1980. Depuis, le gouvernement chinois a introduit beaucoup de changements dans l'organisation sociale et politique du pays. J'ai donc ajouté un court épilogue qui rendra brièvement compte des effets potentiels de ces transformations sur la famille et le mariage.

Prologue

Le 14 octobre 1976, le gouvernement chinois annonce officiellement l'arrestation de ceux que l'on appellera désormais la « bande des quatre » : Jiang Qing, Zhang Chunqiao, Wang Hongwen et Yao Wenyuan. La campagne contre Deng Xiaoping et le « vent déviationniste de droite » qui était à son maximum [1] s'éteint soudain au profit de la critique, beaucoup plus violente, dirigée contre les « quatre ». Les médias dénoncent les intrigues « forcenées » de la bande pour parvenir au pouvoir absolu. Ils s'attaquent aussi à leur vie privée, dressant un portrait, biaisé mais révélateur, de ceux qui comptèrent parmi les plus hauts dirigeants du pays. Au cours de l'année 1977, la campagne se raffine : il n'est plus tellement question de complots mais de ligne politique. Philosophes, économistes, critiques politiques, les propagandistes de tout acabit dissèquent méticuleusement la ligne « de gauche en apparence, mais en fait de droite » de la triste bande. C'est la phase finale de la campagne et la plus importante. Il ne s'agit plus d'attaquer nominalement les « quatre », mais bien de débusquer leurs derniers supporters et d'extirper leur influence idéologique au sein des cadres et des masses.

Pendant ce temps, le nouveau régime consolide son pouvoir. Le 11e congrès du PCC en août 1977 et la 6e Assemblée populaire nationale en février-mars 1978 consacrent les nouvelles orientations politiques et économiques. Hua Guofeng proclame la fin officielle et définitive de la Révolution culturelle. Après dix ans, la Chine entre donc dans une nouvelle période historique : finis les grands mouvements de lutte de classe, l'heure est à la reconstruction et non à la destruction. Les contradictions au sein du peuple l'emportent sur les contradictions antagoniques et leur résolution doit se fonder sur les méthodes démocratiques de la discussion et de la persuasion. Les intellectuels retrouvent leur noble statut de travailleurs et les persécutions dont ils furent victimes durant la Révolution culturelle s'étalent dans la presse de tout le pays [2]. Les cadres vétérans, également critiqués et poursuivis par la « folie vengeresse » des « quatre », sont réhabilités. Le PCC entend restaurer ses « glorieuses traditions » (*guangrong chuantong*) et libérer l'enthousiasme des masses. Cependant, le mot d'ordre est de créer une atmosphère d'« unité dans la stabilité » (*anding tuanjie*). Le PCC veut renforcer le centralisme démocratique et garder le contrôle de la situation. *Anding tuanjie* signifie, certes, que « tous ceux qui peuvent être unis doivent être unis » mais connote aussi une volonté d'empêcher l'éclosion d'opinions ou de comportements contradictoires ou menaçants pour le nouveau régime.

Le retour de Deng Xiaoping dans les plus hautes sphères de la hiérarchie du Parti, officialisé par sa nomination au poste de vice-président du PCC lors du 11ᵉ congrès, précipite l'adoption du programme des « Quatre modernisations », testament politique de Zhou Enlai [3]. Les Quatre modernisations (*si ge xiandaihua*) sont celles de l'agriculture, de l'industrie, de la technologie et des sciences et de l'armée. Le programme prévoit une période de redressement de l'économie nationale pour éliminer les perturbations causées par le règne des « quatre » dans ce domaine. Il promet l'accession de la Chine au rang des grandes puissances économiques d'ici la fin du siècle.

Les mois passent. Les effets des réformes économiques sont faibles pour ne pas dire inexistants dans plusieurs régions. Parallèlement, la presse chinoise rapporte de nombreux scandales impliquant des cadres de différents niveaux. On parle de la création de véritables petits royaumes ruraux contrôlés par des despotes locaux (*tu huangdi*). Les cadres urbains n'y échappent pas : le favoritisme, le népotisme, les privilèges, toutes les différentes manifestations du système de la porte de derrière (*houmen*) sont mentionnées en privé et reprises dans la presse. Cette dernière y va cependant avec une grande prudence et ne s'attache qu'à des cas particuliers.

Le PCC doit bientôt se rendre à l'évidence : le miracle économique que l'on espérait ne s'est pas produit. Les cadres, en particulier ceux des niveaux intermédiaires, souffrent d'attentisme aigu. La Révolution culturelle et les autres mouvements politiques antérieurs leur ont appris la prudence et la circonspection : ils n'exécuteront pas des politiques qui pourraient éventuellement se retourner contre eux. Le Comité central (CC) se doit de réajuster son tir et la 3e session plénière annonce un réajustement des politiques économiques. De plus, il devient indispensable de favoriser une atmosphère de libéralisation, d'encourager les débats, de prouver aux masses et aux cadres que, c'est bien vrai, la situation ne peut revenir en arrière. « Osez penser, osez agir, libérez votre esprit » (*gan xiang, gan zuo, jiefang sixiang*) et soyez sûrs qu'aucun danger ne vous guette au tournant. C'est ainsi que le 15 novembre 1978, la nouvelle municipalité de Pékin décide de qualifier de « totalement révolutionnaires » les émeutes d'avril 1976, dont la presse chinoise parlera désormais comme du « mouvement du 4 avril » (*si wu yundong* [4]). Profitant de la Fête des morts pour rendre hommage à Zhou Enlai, de nombreux manifestants avaient dénoncé la tyrannie de la « bande des quatre », son attitude « impériale », allant même jusqu'à inclure Mao Zedong parmi les responsables des misères du peuple chinois. Le même jour, le *Quotidien du Peuple* rapportait, dans le commentaire intitulé « Toute erreur doit être corrigée », la décision du Comité central de supprimer les étiquettes des « droitiers » de 1957 [5].

Parallèlement, les deux derniers mois de 1978 voient l'éclosion du mouvement contestataire, connu en Occident sous le nom de Printemps de Pékin. Pour la première fois, l'opposition chinoise se dote de structures autonomes : presse dissidente, groupes et organisations qui animent le Mur de la démocratie à Pékin [6]. Dans un premier temps, le mouvement s'attaque aux intégristes (faction promaoïste au sein du

Comité central), élabore un embryon de critique des « erreurs » de Mao Zedong, dénonce l'aspect autocratique du système et donne son appui à Deng Xiaoping, devenu le symbole de la « seconde libération » du peuple chinois. Cependant, la presse officielle appelle à l'unité. Le mouvement s'oriente alors vers de nouvelles cibles. Le texte de Wei Jingsheng : « La cinquième modernisation, la démocratie », affiché pour la première fois le 5 décembre, donne le ton [7]. Le mur de Xidan se couvre de *dazibao* dénonçant les violations des droits de l'homme, fustigeant l'arbitraire de la justice socialiste. Cet activisme marginal s'accompagne bientôt de véritables manifestations. Des « paysans » en haillons défilent à Pékin : cadres, intellectuels ou simples ouvriers envoyés se faire rééduquer à la campagne à la suite d'une quelconque faute politique, ils viennent réclamer justice. À Shanghaï, Wuhan et dans d'autres villes, des jeunes éduqués revenus illégalement en ville protestent contre leur sort et réclament leur réinsertion complète en milieu urbain [8]. Bon agitateur, Wei Jingsheng ne rate aucune chance de lier les revendications de ces « victimes » à celles, plus théoriques, du mouvement dissident, ce qui précipitera son arrestation et sa condamnation à 15 ans d'emprisonnement en 1979.

Si les problèmes sociaux éclatent de toutes parts, les autorités ne peuvent se permettre qu'ils soient utilisés par des marginaux pour attaquer les bases du régime. Après tout, les gens en ont assez des grands débats. D'une part, le PCC réprime la dissidence et la discrédite aux yeux de la population ; d'autre part, il encourage, par les canaux de la propagande officielle, la dénonciation des « aspects noirs » de la société socialiste. La presse devient le lieu privilégié de plusieurs polémiques. Elle publie des oeuvres littéraires qui dépeignent les lacunes du socialisme, donnant une place non négligeable aux séquelles de la Révolution culturelle parmi la jeunesse[9]. Le *Quotidien du Peuple* s'érige en redresseur de torts et effectue plusieurs enquêtes qui mènent au limogeage de divers cadres locaux ayant « abusé de leur position pour obtenir des privilèges et léser les masses ». Ainsi des contradictions, jusqu'alors officiellement inconnues, sont subitement décrites avec force détails. En reprenant à son compte les critiques dirigées contre certains aspects du socialisme, le régime récupère une bonne partie des griefs exposés par la menace dissidente.

Encore faut-il trouver une explication orthodoxe à tous ces phénomènes si peu représentatifs du paradis socialiste. Le plus commode est d'utiliser la « bande des quatre », Lin Biao et ses suppôts comme boucs émissaires. La dictature « fasciste et féodale » qu'ils exercèrent durant la Révolution culturelle n'a-t-elle pas produit un relâchement des bonnes moeurs socialistes ? Dans cette atmosphère de désordre (*luan*), et sans le contrôle de la nouvelle morale communiste, les idées féodales ont le champ libre et font en grande pompe leur retour sur la scène chinoise. Deux millénaires de féodalisme ne s'effacent pas d'un trait de plume et l'influence des vieilles mentalités perdure dans le domaine idéologique. Jamais l'héritage de la vieille Chine n'a semblé aussi présent. À la limite, le concept théorique de Mao Zedong, selon lequel la lutte des classes continue durant le socialisme sous la forme des luttes entre la voie capitaliste et la voie socialiste, semble disparaître au profit de la contradiction entre le nouveau et l'ancien.

Il est d'ailleurs intéressant de noter la réhabilitation de Li Yizhe en février 1979 [10]. Critiquant le « système Lin Biao » et analysant la formation d'une nouvelle classe de bureaucrates, Li Yizhe écrit en 1974 :

> Le socialisme chinois est l'enfant prématuré d'une société semi-féodale et semi-coloniale, qui porte les traces idéologiques de plus de deux mille ans de domination féodale. [...] La tare de la dictature féodale pèse lourdement sur la conscience des masses et des membres ordinaires du Parti communiste.
>
> Li Yizhe, 1976, p. 48

Parias sous la « bande des quatre », les Li Yizhe deviennent héros maintenant que les « quatre » sont associés à Lin Biao. Leur critique du socialisme chinois amène de l'eau au moulin de la propagande officielle. Pourtant l'analyse de la formation d'une nouvelle classe sociale bureaucratique sous le socialisme est passée sous silence. Les membres de cette nouvelle classe, que la Révolution culturelle avait réduite à la « bourgeoisie au sein du Parti », ne sont pas dangereux en tant que défenseurs des intérêts communs à leur classe, mais en tant qu'individus, bons ou mauvais, subissant à différents degrés l'influence des idées féodales. Il n'est plus question de résoudre ces contradictions comme des contradictions antagoniques. Ces problèmes ne relèvent plus de la lutte de classes, mais bien des contradictions au sein du peuple. Et d'ailleurs, tout le peuple, masses laborieuses comme cadres, subit l'influence des traces idéologiques du féodalisme. Celles-ci entravent la course vers la modernité, elles sont en contradiction directe avec la réalisation des Quatre modernisations.

Les problèmes sociaux qui ne cessent d'éclater un peu partout ne trouveront de solutions qu'avec l'accomplissement des dites modernisations. La boucle est bouclée ; le féodalisme rampant est responsable, par l'intermédiaire de ses représentants (Lin Biao et la « bande des quatre »), des problèmes qui minent la société chinoise ; il faut déraciner la féodalité du sol chinois si l'on veut réaliser les Quatre modernisations ; en retour, le développement des forces productives permettra une hausse du niveau de vie et de la culture parmi la population, le meilleur garant contre les forces régressives de la féodalité. La tare de la dictature féodale dont parlait Li Yizhe se réduit presque au domaine purement psychologique.

Moins de deux ans après la chute des « quatre », les luttes de factions au sein du pouvoir central ne sont pas encore résorbées, et cela malgré l'emprise toujours plus forte de Deng Xiaoping. Par ailleurs, les promesses de prospérité économique annoncées depuis 1977 ne semblent pas pouvoir se réaliser de sitôt. Pour assurer sa crédibilité politique et stimuler l'implication économique des masses, le centre encourage les débats et les critiques. Toutes les opinions sont permises si elles restent dans les cadres délimités par l'idéologie officielle. L'analyse du despotisme féodal des « quatre » et de Lin Biao préside à la dénonciation des traces de la féodalité millénaire qui influencent toujours les comportements sociaux et politiques. Le féodalisme est ainsi considéré comme une entrave importante au développement économique et à la modernisation du pays, du point de vue matériel comme du point de vue social.

C'est dans ce contexte politique que s'inscrivent les premières dénonciations du mariage arrangé mercantile. Cette forme de mariage, venant directement de la famille patriarcale traditionnelle, semblait avoir été reléguée aux oubliettes par la Loi sur le mariage promulguée en 1950 et la décade de travail politique sur la transformation de la famille qui s'ensuivit. Certes, la nouvelle famille chinoise n'était pas parfaite. De nombreux problèmes liés aux femmes, à la jeunesse, à l'autorité patriarcale perduraient. Mais ce n'était plus qu'une question de temps. Le pire avait été effacé de la face de la Chine, les bases de l'antique société « mangeuse d'hommes » étaient enfin éliminées à tout jamais. La tâche principale était de guider la transformation des relations familiales, de prévenir les reculs et de résoudre correctement les nouveaux problèmes qui pourraient se présenter.

Mais voilà que, à la fin de 1979, le magazine *Femmes de Chine* [11], organe de la Fédération des femmes chinoises (FFC), attaque d'emblée la question des survivances féodales dans le mariage et la famille. Femmes séquestrées et battues, jeunes filles vendues au poids et au plus offrant, jeunes hommes qui ne peuvent se marier faute de ressources économiques suffisantes, la famille impose encore et toujours sa volonté implacable sur les individus. On ne peut s'empêcher d'évoquer certaines scènes décrites par Lu Xun au début du siècle [12] ; nous sommes en plein Moyen-Âge. Où sont passés les acquis de la Révolution culturelle ? L'élection démocratique du chef de famille par tous les membres et les réunions familiales de critique-autocritique ont-elles jamais existé ou ne sont-elles que le produit de l'imagination enthousiaste de la propagande ? Comment les femmes peuvent-elles encore être vendues à leur mari dans un pays à la fine pointe du mouvement d'émancipation des femmes ? *Femmes de Chine* souligne que ces « comportements » féodaux n'ont pu *réapparaître* qu'à la faveur des perturbations sociales dues aux méfaits de la « bande des quatre » et consorts. Mais on peut légitimement s'interroger : ont-ils jamais disparu ?

La propagande chinoise fait de la question des survivances féodales un problème purement économique. L'héritage féodal de l'ancienne Chine continue d'influencer les comportements socio-politiques des individus. Si Mao Zedong avait souligné que l'infrastructure économique détermine certes la superstructure mais que celle-ci peut, en retour, influencer la première, il semble à l'heure actuelle que seules des transformations adéquates dans l'économie et l'amélioration subséquente des conditions de vie et de l'éducation pourront assurer l'élimination des dits comportements féodaux. Le travail idéologique en est un d'appoint car le facteur déterminant est l'économie ; ce qui ne veut pas dire qu'il faut négliger le premier. Tout se passe comme si la transformation de l'infrastructure économique et des rapports de production ne mène pas nécessairement à une transformation parallèle dans le domaine de la superstructure, du moins tant que les transformations économiques ne sont pas substantielles. C'est ainsi que le programme des Quatre modernisations devient la condition *sine qua non* de la disparition des traces de la féodalité. Il en va de même des problèmes reliés au mariage et à la famille. Les attitudes « rétrogrades » ne pourront disparaître qu'avec l'élévation du niveau de vie des masses et leur éducation, assorties d'un travail idéologique adéquat. S'il en est ainsi, on peut se demander en quoi les méfaits des Lin Biao ont pu produire une telle recrudescence de féodalité. Tant que la transformation de la superstructure n'est pas irréversible, ne doit-on pas assumer que les comportements féodaux continueront à influencer le tissu social? Il y a là une contradiction qui reflète superficiellement les aléas de la propagande. Celle-ci est partagée entre son rôle d'éducateur politique, de vulgarisateur théorique et celui d'outil politique dans les luttes entre politiciens. Les deux rôles ne sont pas toujours faciles à concilier et mènent à des acrobaties théoriques périlleuses. En fait, ce double rôle empêche toute analyse approfondie et confine à des descriptions simplifiées.

Les deux sources privilégiées de renseignements sur le mariage et la famille, *Femmes de Chine* et *Jeunesse de Chine*, fournissent donc une masse de témoignages concrets, expériences vécues et rapportées avec force détails. Le nombre même de ces articles, leur présentation sous forme de thèmes, rappellent les campagnes bien orchestrées. Le mot campagne peut ici porter à confusion. En effet, il ne s'agit pas d'un grand mouvement d'étude de tel problème lancé à l'échelle nationale, mais d'un mouvement de critique émanant d'organisations de masses, soit la Fédération des femmes chinoises et la Ligue de la jeunesse communiste. Ce mouvement doit cependant être tenu pour relativement important puisque l'organe théorique du PCC, le *Drapeau rouge*, daigne lui consacrer un article. Procédant de façon traditionnelle, on rapporte des exemples négatifs et positifs, les premiers l'emportant cependant sur les seconds. À travers de tels exemples, on critique les parents d'imposer leur volonté unilatérale aux enfants ; les jeunes pour leur attitude timorée vis-à-vis de l'autorité patriarcale ou bien pour leurs vues intéressées. Les cadres de divers échelons sont parfois dénoncés pour prendre trop souvent le parti des parents, faisant fi des dispositions de la loi sur le mariage. Les cadres de la Fédération des femmes chinoises sont mis, eux aussi, sur la sellette, pour délaisser leur rôle de défense des intérêts des femmes au profit des problèmes bureaucratiques d'organisation. Un nombre restreint d'articles s'attachent à expliciter en quoi les pratiques maritales de type féodal nuisent à l'harmonie des relations sociales. On élabore continuellement sur les effets de ces pratiques mais rarement sur leurs causes. Un petit laïus d'introduction sur le sabotage de Lin Biao et des « quatre », un rappel succinct de l'héritage féodal, et le tour est joué.

Cet essai constitue une tentative d'explication de la survivance de ces traces de la féodalité, dans le domaine du mariage et de la famille. En effet, par-delà l'explication purement idéologique, je pense qu'il faut s'attacher à examiner le fonctionnement de l'organisation sociale et voir s'il n'y a pas là une base concrète permettant la reproduction des comportements féodaux.

Il est important d'évaluer dans quelle mesure les structures rurales et urbaines influencent les modalités de transformation du mariage. Les études occidentales sur le mariage et la famille reconnaissent toutes que la période actuelle en est une de transition pour la famille et donc que toute une gamme de comportements sont en mesure de coexister. Voilà qui est certainement très logique, mais ce n'est pas suffisant. Si l'on assume la possibilité de reculs, de tiraillements entre les comportements maritaux liés à la féodalité et les comportements dits « socialistes », ne faut-il pas considérer que ces contradictions entre l'ancien et le nouveau reflètent d'autres contradictions, plus fondamentales ?

1
La tradition

Au printemps 1979, l'Université de Nanjing a organisé pour les étudiants étrangers dont j'étais, une
semaine de travail à la campagne. Cela s'appelait
« l'école à portes ouvertes » (*kaimen ban xue*). Nous
habitions chez les paysans, mangions avec eux et tra-
vaillions dans les champs. Une fin d'après-midi, je
regardais les gens du village s'affairer avant le repas
du soir, adossée contre la porte d'entrée de la maison
où j'habitais. Un jeune paysan qui passait, le panier
plein de petites racines ramassées pour le cochon familial, me dit en souriant : « Tu sais, dans la vieille société,
tu n'aurais pas pu, étant femme, rester comme ça sur
le pas de la porte. Les femmes n'avaient pas le droit
de sortir de la maison. »

Dans la vieille société, comme disent les Chinois,
les femmes n'existaient pas vraiment en dehors de la
famille. Quand un homme rendait visite à un ami, il
demandait : « Y a-t-il quelqu'un à la maison ? » Si la
femme était seule, elle répondait poliment : « Il n'y a

personne à la maison [1a] ». J'avais parfois du mal à imaginer les souffrances de ces femmes quand je voyais les paysannes robustes partir, la bêche sur l'épaule, travailler aux champs. Tout semblait avoir bien changé. Pourtant, ces mêmes paysannes revenaient plus tôt que les hommes pour préparer les repas, donner à manger aux poules et prendre soin des enfants. Certes, bien des choses avaient changé, mais certains dictons de l'ancienne société restaient tout autant adaptés à la nouvelle société.

Avant d'aborder cette nouvelle société, il est essentiel de remonter un peu dans le temps et de resituer la tradition dans son contexte. Un peu d'histoire fera comprendre beaucoup mieux les enjeux des tensions sociales contemporaines. D'autant plus que le discours chinois social et politique s'articule par des références constantes à la tradition. En effet, le monde chinois conçoit souvent l'histoire comme étant un miroir tendu vers le présent.

Je ne remonterai toutefois pas aux sources de l'histoire de la famille. Ce serait un détour beaucoup trop vaste pour mon propos. En effet, l'origine du monde chinois remonte à 4 000 ans et celle de la Chine impériale, à 2 000 ans.

Cette dernière période est faite de constantes et de ruptures, la centralisation impériale succédant à des morcellements du territoire, mouvements successifs qui structureront son histoire en temps faibles et temps forts, autour desquels s'élaboreront les caractéristiques fondamentales du monde chinois.

Je parlerai donc de la tradition qui se rattache à la dernière dynastie chinoise, celle des Qing

(1644-1911), et plus précisément à la phase terminale de cette dynastie, au 19e siècle et au début du 20e.

Au cours des pages qui suivront, j'emploierai souvent le terme « féodalisme ». C'est un terme qui est difficile à employer judicieusement quand il s'agit de la Chine. L'interprétation marxiste chinoise de l'histoire l'utilise pour qualifier le système socio-politique de la Chine impériale, se rattachant ainsi à une schématisation de l'histoire expliquant l'évolution de toute société selon des stades de développement bien précis, soit la commune primitive, l'esclavagisme, le féodalisme et le capitalisme. Selon cette conception de l'histoire, le féodalisme chinois se caractérise par une contradiction économique et politique fondamentale, entre les propriétaires fonciers et les paysans.

Il existe bien d'autres systèmes d'interprétation de l'histoire chinoise. Plusieurs mettent l'accent sur l'existence d'une classe de fonctionnaires-lettrés à la fois alliée et opposée au pouvoir impérial, administrant celui-ci et dominant les autres classes sociales. Ce système interprétatif met l'accent sur la contradiction entre le centre et la périphérie, expliquant les contractions et éclatements successifs de l'Empire par les alliances régionales entre les fonctionnaires-lettrés et la noblesse terrienne, phénomène dont l'explication orthodoxe chinoise a du mal à rendre compte.

J'emploierai donc le terme « féodalisme » quand je me référerai à la conception chinoise marxiste de l'histoire. Autrement, je me limiterai à l'utilisation des termes « système impérial » ou « tradition ».

La société confucéenne

Durant plus de deux millénaires, le code d'éthique confucianiste domine la superstructure idéologique de l'Empire chinois. Il se définit comme un système de normes et de valeurs qui, par la persuasion et le compromis, prévient les comportements anti-sociaux et réalise l'harmonie sociale. Le confucianisme est le produit d'une société agraire où la tradition et le consensus local l'emportent souvent sur les lois de l'État. Sa faculté d'adaptation aux changements historiques est très caractéristique. Malgré des reculs temporaires, son influence sur l'idéologie et les relations sociales dans la société chinoise est prédominante.

Le confucianisme met l'accent sur la soumission de l'individu qui doit respecter l'ordre des relations humaines. C'est le « binôme confucéen [1b] » : toute société se divise en inférieurs et supérieurs. La répartition des individus dans chacune des parties de ce binôme est réglée d'avance par des lois et des rites immuables, rites et lois qui doivent être respectés sinon l'harmonie de l'univers risque d'être détruite. L'harmonie globale de la société est assurée par la réalisation des préceptes suivants : « cultiver la personne, harmoniser la famille, gouverner l'État et faire régner la paix dans le monde ». Chacune des parties de la formule conditionne la suivante, la formule étant par ailleurs réversible [2]. La famille (*jia*) joue donc un rôle prééminent dans le maintien de l'ordre des choses. De fait, elle est la cellule de base de l'organisation sociale dans la Chine traditionnelle.

La prépondérance de la famille et des relations de parenté dans la société chinoise est frappante. On lui attribue même la relative stabilité de l'Empire chinois. En comparant la Chine et le Japon, l'orientation familiale de la société chinoise apparaît comme un frein à sa modernisation ; la préséance de la loyauté envers la famille sur celle envers l'État compromet la création d'un État « moderne » et la croissance économique [3].

En pratique, la famille est au centre de la société chinoise, y assumant une multiplicité de fonctions (économique, éducative, socialisatrice, religieuse, voire politique). L'individu se définit avant tout par son appartenance à la famille et au groupe de parenté. La famille lui offre protection, sécurité morale et économique :

> Du berceau à la tombe, l'individu est sous l'influence ininterrompue de la famille pour ce qui a trait à sa croissance physique et morale, la formation de ses sentiments et attitudes, son éducation, sa carrière, ses relations sociales, sa sécurité émotive et matérielle [4].

Il ne reste que peu de place pour des associations vouées aux intérêts et aux besoins de groupes particuliers. De telles associations naissent parmi des gens dont le métier les amène à quitter leur territoire lignager, ou parmi les paysans pauvres dont le milieu parental déficient ne peut assurer leurs besoins sociaux et économiques. La structure de ces associations et leurs valeurs se modèlent le plus souvent sur celles de la famille [5].

Le clan (*zu*) se définit comme un groupe descendant d'un ancêtre commun s'étant installé dans une certaine localité. Son influence est prééminente en milieu rural ; il domine l'organisation des villages. Si ces derniers ne peuvent être totalement considérés comme une excroissance du clan, celui-ci ne leur en donne pas moins un degré de cohésion qui n'aurait pu être atteint autrement. Le clan veille au culte de l'ancêtre commun et administre les terres communes. Ses chefs supervisent les chefs de famille (*jiazhang*). L'organisation clanique a fonction d'arbitre dans les conflits entre les membres du clan ; elle délègue ses représentants pour négocier avec d'autres clans.

Dans un pays où domine la petite production paysanne familiale, le pouvoir impérial doit compter avec la force des groupes de parenté pour assurer son autorité. D'une part, il utilise les structures du clan pour exercer son contrôle sur la population. Pour ce faire, il s'appuie sur la petite noblesse rurale qui, par son éducation et son prestige, monopolise les fonctions importantes au sein du clan. Au sein de la famille comme du clan, on préfère laver son linge sale en privé. La coutume et l'autorité des chefs de clan président à la solution des conflits. Les fonctionnaires locaux interfèrent rarement dans les affaires du village. Leur nombre restreint — un fonctionnaire pour 250 000 habitants selon des statistiques de 1819 [6] — ne laisse d'autre choix que de déléguer certains pouvoirs administratifs aux organisations séculaires issues des lignages.

Par ailleurs, le pouvoir impérial doit se prémunir contre les interférences entre les relations parentales et la volonté du centre. Il est bien connu que les magistrats nommés par l'Empereur ne sont jamais envoyés servir dans leurs districts d'origine. Comme le dit le proverbe : « Qu'un homme s'élève au rang d'officiel de l'Empire, et tous ses chiens et ses poulets seront aussitôt promus eux aussi. »

Un lettré, promu au rang de fonctionnaire de l'Empire, n'en a pas moins l'obligation de s'acquitter de ses devoirs filiaux et parentaux ; il s'efforce dès lors de promouvoir l'intérêt et la sécurité des membres de sa famille. Ainsi, la force des liens parentaux est si forte que l'Empereur se voit quelquefois dans l'obligation de proclamer la dissolution de clans « rebelles » devenus dangereux pour le centre.

Le sens « culturel » de la communauté ou de la collectivité par lequel les Occidentaux ont cru pouvoir expliquer la civilisation chinoise et son histoire n'est donc qu'une piètre illusion. Avant tout membre d'un groupe de parenté, l'individu en hérite prestige ou déchéance, richesse ou pauvreté, mais il restera toujours loyal à ses ancêtres ; le contraire serait immoral pour la tradition chinoise. Et les esprits des ancêtres des uns, ceux à qui on doit respect et fidélité, seront les fantômes des autres, des êtres malfaisants et méprisables [7].

Structure de la famille traditionnelle

Selon l'idéal confucéen, la famille comprend plusieurs générations vivant sous le même toit. De telles familles ne peuvent être le fait que des classes riches qui seules possèdent les ressources économiques nécessaires au soutien d'une telle maisonnée. Le mythe de la famille étendue comme représentative du système familial chinois est maintenant totalement discrédité. La majorité de la population chinoise vivait dans des familles nucléaires ou des familles souches. En fait, pour avoir une si grande influence sur ses membres et sur la société, la famille moyenne est relativement petite : de 4 à 10 personnes. Même si les ressources économiques sont suffisantes, la famille se divisera au lieu de grossir dans de trop grandes proportions. Une famille normale se compose d'un noyau nucléaire (parents et enfants) auquel s'ajoutent les grand-parents et les adultes célibataires. L'éclatement de la famille procède de raisons pratiques : maison devenue trop petite, membres qui se querellent, etc.

Le concept de famille employé pour la Chine et exprimé en chinois par le terme *jia* fait référence à un groupe de consanguins, vivant ensemble et jouissant en commun des fruits de la propriété familiale. Cette unité est sous l'autorité d'un chef, le *jiazhang*. Tant que la division n'a pas eu lieu, tous sont membres à part entière de la famille, y compris les absents qui, tant qu'ils n'ont pas formé leur propre noyau familial, peuvent toujours prétendre aux avantages de l'appartenance à la famille. Tous les membres portent le même nom (*xing*), les femmes mariées prenant le nom de leur mari[8]. Les ouvriers agricoles et les esclaves (en général, les servantes), s'il y en a, font partie de la maisonnée (*hu*), en vivent, mais n'y jouissent d'aucun droit d'appartenance. Le chef de famille est le maître (*laoye*) et c'est ainsi qu'ils l'interpellent.

Le chef de famille représente la famille au sein du clan et à l'extérieur. Il doit en enregistrer officielle-

ment les membres, payer les taxes ; il est responsable
légalement de toute transaction financière contractée
par la famille et représente celle-ci dans les disputes.
Il est aussi responsable de tout acte criminel perpétré
par un des membres et a le pouvoir de punir quiconque du groupe transgresse les lois. Enfin, il gère la
propriété familiale et administre la maisonnée.

Le terme chinois *gongcai* qui exprime le concept
de la propriété familiale, se traduit littéralement par
propriété commune. Son interprétation est sujette à
controverses. Pour certains, la propriété commune
signifie la propriété de tous les membres mâles ; le père,
ou la personne qui fait office de chef de famille, jouit
cependant de tous les droits de gestion et, tant qu'il
vit, ses fils ne peuvent se prévaloir de leurs droits à
la propriété. Pour d'autres, le père seul a des droits
de propriété et peut en disposer comme il lui plaît. Le
terme *gongcai* fait alors référence au budget commu-
nautaire et tous les membres sont en droit de bénéfi-
cier des richesses familiales. Quoi qu'il en soit, il est
certain que les fils ne peuvent disposer de la propriété
familiale tant que le chef de famille, père ou grand-
père, est en vie. Ils ne jouissent d'aucun recours légal
contre un chef de famille qui gère mal la fortune familiale ; ils peuvent cependant utiliser la pression du
lignage pour faire valoir leurs droits [9].

La famille constitue l'unité de production et de consommation de base en milieu rural et au sein des petites entreprises commerciales et artisanales. Elle doit
pourvoir à la sécurité économique de tous ses membres, y compris des membres improductifs. Elle tend
à un haut degré d'autosuffisance : en milieu rural, 80 %

des besoins sont comblés par la famille elle-même. Dans les zones urbaines, le même principe s'applique, quoiqu'à un moindre degré. L'organisation économique se structure selon les différences d'âge et de sexe. Aux hommes revient la responsabilité du travail productif. Les femmes ont comme tâche de veiller à l'entretien du ménage et à la transformation des matières premières pour consommation familiale. De nombreux tabous proscrivent la participation des femmes aux travaux des champs. Une enquête effectuée dans certaines régions chinoises au milieu des années 30 a révélé que les femmes ne participaient qu'à 16,4 % de tout le travail agricole [10]. Par ailleurs, il faut tenir compte des différenciations géographiques, les femmes du sud ayant plus facilement le droit de participer au travail productif que celles du nord. Dès que la petite enfance est passée, les enfants doivent s'intégrer au travail productif. Leur intégration se fait progressivement jusqu'à l'âge adulte, c'est-à-dire jusqu'à leur mariage. Mais toutes les décisions concernant la production sont du ressort des aînés [11].

La structure du pouvoir s'articule aussi selon la hiérarchisation des générations et des sexes. La piété filiale (*xiao*) commande les relations entre générations. Le chef de famille étant seul dépositaire des intérêts de l'ensemble des membres, les jeunes générations lui doivent obéissance. Le dévouement des parents envers les fils, en particulier l'aîné, est un devoir parental qui trouve sa justification dans le fait que les fils auront ensuite la charge de subvenir aux besoins des parents âgés ou improductifs. D'une manière caractéristique, l'accomplissement des droits et des devoirs est à sens unique : aux enfants il appartient de respecter leurs devoirs familiaux, aux parents, de pouvoir faire valoir leurs droits sur les enfants.

Quant aux femmes, elles doivent se plier aux « trois obéissances » (*san cong*) : jeunes filles, elles doivent obéissance à leur père ; mariées, à leur mari ; veuves, à leur fils. Leur vie se scinde en deux périodes. Jusqu'à l'âge adulte, c'est-à-dire le mariage, elles ne sont que des membres temporaires de leur famille congénitale. À leur mariage, elles deviennent « étrangères » dans la famille de leur mari.

Elles sont dès lors au service de leur belle-famille et sous l'autorité directe de leur belle-mère. La naissance d'un enfant mâle consacrera leur véritable statut d'épouses. Mais ce n'est que lorsqu'elles seront, à leur tour, belles-mères, qu'elles pourront prétendre au partage du pouvoir au sein de la famille.

> Le lignage se débarrassait de manière définitive de ses membres féminins. Il se procurait des femmes d'autres lignages pour procréer des fils qui perpétueraient son nom. Le cas chinois illustre clairement l'attitude négative du lignage envers ses membres non reproducteurs (le « rebut »). Une femme n'a aucun rôle à jouer en tant que « soeur » et « fille », mais seulement en tant qu'« épouse » et « mère » — et plus particulièrement en tant que « belle-mère » car elle exerce son autorité sur les femmes de son fils lorsque celles-ci entrent dans la maisonnée [12].

La structure familiale s'élabore donc autour de deux principes : l'inégalité des individus (des femmes par rapport aux hommes, des enfants par rapport aux parents, des jeunes par rapport aux aînés) et leur inter-dépendance sur le plan économique. De telles inégali-tés ne manquant pas de générer des conflits, le système de valeur dominant préconise le compromis. Les ver-tus de sacrifice viennent agir en régulateur des ten-sions internes du système. En dernière analyse, ces facteurs s'allient aux facteurs économiques pour ren-forcer la relation de dépendance des membres de la famille, en particulier des jeunes et des femmes. Ces caractéristiques se manifestent de façon particulière dans l'institution du mariage.

Le mariage traditionnel

La caractéristique la plus frappante du mariage tra-ditionnel réside dans sa finalité : la perpétuation cons-ciente de la lignée ancestrale. Dans son essence, il se situe au-delà des intérêts personnels du couple. Il con-cerne avant tout la famille et, au premier chef, le père ou le chef de famille. Mencius dit : « Des trois fautes indignes d'un bon fils, ne pas avoir de postérité est la plus grave. » Le choix du célibat ne se pose pas. Le mariage fait partie intégrante du cycle de vie de l'individu.

Les mariages sont, règle générale, arrangés par les parents des deux parties. Dans le cas contraire, la res-ponsabilité en revient aux aînés de la famille (*zun-zhang*). Les négociations entre les deux familles sont le plus souvent amorcées par la partie mâle, qui requiert les services d'un intermédiaire (*mei*). En effet,

« les transactions » ne peuvent s'effectuer directement, si ce n'est parmi les classes pauvres. Les négociations sont strictement l'affaire des parents. Les enfants n'ont rien à dire sur le choix de leur conjoint ; ils ne sont d'ailleurs pas nécessairement mis au courant de l'amorce des négociations. En fait, il arrive que l'on entame les pourparlers alors que les futurs mariés sont encore en bas âge.

Le processus du mariage s'effectue en deux temps : les fiançailles (*dinghun*), puis le mariage proprement dit (*cheng hun*). Le droit coutumier ne fixe aucun âge minimum pour les fiançailles. En principe, il est interdit de fiancer des enfants qui ne sont pas encore nés, mais la pratique existe (dans les régions méridionales). Les fiançailles sont conclues lorsque les deux parties se sont entendues sur les présents et que ces derniers ont été donnés à la famille de la fiancée. Ils consistent ordinairement en bétail, vêtements et autres biens matériels, mais on utilise aussi de l'argent. Ils portent une grande variété de noms, selon la classe sociale et la région. Dans les études occidentales, on s'y réfère le plus souvent comme au « prix de la fiancée ». Par ailleurs, il faut souligner que les présents offerts par la famille du fiancé trouvent leur contre-partie dans le trousseau fourni par la partie féminine, trousseau dont la valeur se doit même d'être quelque peu supérieure à celle du prix de la fiancée [13]. Cependant le prix de la fiancée n'est compensé par la dot que pour les familles aisées. Très souvent, ce prix de la fiancée, ou compensation matrimoniale, consacre l'appropriation d'une force reproductrice par un lignage et signifie que le lignage de la femme abandonne d'avance, contre compensation, tous ses droits aux produits de la femme, c'est-à-dire aux enfants.

La durée des fiançailles est indéterminée. Si le ou la fiancé(e) meurt au cours de ce laps de temps, les présents ne sont pas rendus. C'est aussi lors des fiançailles que chacune des parties fournit le « pedigree » des futurs conjoints (âge, statut de l'enfant — de la femme principale, de la concubine, illégitime, adopté, etc. — date de naissance...). Les géomanciens s'occupent alors de vérifier la compatibilité des cartes du ciel et déterminent une date favorable à la conduite de la cérémonie du mariage.

Les fiançailles constituent donc une étape des plus importantes dans le processus du mariage. Par ailleurs, elles sont absentes dans la coutume du mariage des « fiancés-enfants », comme l'on nomme généralement ce phénomène. Une fillette (*tong yang xi*) est élevée dans la famille de ses beaux-parents, en tant que future épouse du fils. Elle y sert en général de servante jusqu'au moment où elle pourra procréer. L'avantage d'un tel arrangement est que le prix de la fiancée est des plus bas, alors qu'on s'assure de ses services domestiques le plus tôt possible. Pour la famille de la fillette, le départ de la petite fiancée et le montant de la compensation matrimoniale représentent souvent le seul moyen d'assurer la survie d'une famille démunie.

Il existe aussi des enfants fiancés mâles (*tong yang xu*) ; le jeune garçon est « adopté » par une famille qui n'a que des filles. Ce type de mariage est beaucoup moins fréquent que le précédent, et pour cause : le patrilinéage exogame chinois ne peut que déconsidérer ce genre de choses. En fait, bien que l'on mentionne

44

ces garçons-fiancés, les familles sans progéniture mâle s'efforceront d'adopter un garçon (de préférence du même lignage) et le marieront comme leur propre fils.

La cérémonie du mariage est l'occasion de nombreuses dépenses additionnelles pour la famille du fiancé. La coutume exige la présence du groupe parental restreint et des amis pour les noces ; dans les régions où la présence du lignage (clan) est forte comme dans le sud de la Chine, le clan entier peut participer aux festivités. L'endettement des paysans à l'occasion du mariage de leur fils est un fait notoire. Les dépenses encourues lors d'un tel mariage peuvent atteindre l'équivalent du revenu annuel net d'un paysan [14]. Plus les dépenses sont élevées, plus les parents s'endettent, plus grande doit être la gratitude des enfants envers leurs parents.

Le jour du mariage, la mariée est emmenée en chaise à porteurs, accompagnée par des membres de la famille du marié. Une véritable procession se dirige vers la maison du futur mari. Les mariés y font connaissance pour la première fois. La mariée est ensuite présentée aux tablettes des ancêtres de la famille qu'elle vient de joindre. Les jeunes époux saluent alors le ciel, la terre, les ancêtres, les parents du conjoint et l'assistance.

En joignant la famille de son mari, la femme abandonne tous ses droits d'appartenance à sa famille congénitale ; elle est irrémédiablement perdue pour son lignage. Sans acquérir véritablement le statut de fille dans sa nouvelle maisonnée, elle n'en doit pas moins se soumettre au devoir de piété filiale envers ses beaux-parents. Elle doit obéissance à son mari ; si celui-ci meurt, elle doit porter son deuil pendant trois ans (aussi longtemps qu'un fils pour son père). Veuve, on la glorifie si elle reste chaste et fidèle à son défunt mari, preuve suprême d'esprit filial. Autrement, elle pourra être remariée dans un autre lignage, le lévirat étant prohibé, si curieux que cela soit dans ce régime patrilinéaire [15]. Le rituel du mariage souligne avec emphase la perte de la jeune fille pour son lignage. Lors de la cérémonie, seuls les membres de la famille du mari célèbrent l'union des conjoints. Et si la famille de l'épousée célèbre le sacrifice, ce ne sera jamais en commun avec la belle-famille. À part de rares exceptions, la coutume décourage les contacts fréquents entre l'épouse et sa famille congénitale. La femme ne peut donc jouir d'aucun support extérieur, même en cas de mariage malheureux ; elle appartient en droit à la famille de son mari. L'union étant contractée par les parents, le lien conjugal ne peut l'emporter sur le lien familial. Le mari ne peut jouer le protecteur de sa femme à l'encontre de ses propres parents, ce qui équivaudrait à une grave faute de piété filiale. Ainsi donc, le mariage constitue pour la famille l'acquisition d'une force de travail supplémentaire pour la production domestique en même temps que l'acquisition de l'indispensable force de procréation. Et la relation de filiation l'emporte sur les liens conjugaux.

La tradition chinoise respecte des règles d'exogamie très strictes. L'union de deux personnes portant le même nom de famille est proscrite, même si elles appartiennent à des lignages différents. Il existe aussi des prohibitions liées au statut social. Un fonctionnaire ne peut marier une prostituée. Les hommes libres ne peuvent s'unir à des esclaves. Bien que les lignages chinois admettent une grande différenciation sociale (les paysans se retrouvant aux côtés de magistrats ou de représentants de la noblesse terrienne), les mariages respectent la stratification des classes sociales et les mariages entre différentes classes sont rares.

La bigamie, définie comme l'acquisition de deux femmes principales, est strictement prohibée [16]. Une femme qui s'enfuit du domicile conjugal ne peut se remarier avant d'avoir officiellement divorcé. Les mariages enfreignant ces règles sont considérés comme nuls, les couples doivent se séparer, les enfants sont déclarés illégitimes et les organisateurs du mariage doivent être punis. Si les organisateurs du mariage sont les parents des conjoints, ces derniers n'encourent aucune sanction. Si, au contraire, ils s'avèrent être des aînés d'une branche collatérale, les conjoints seront traités comme complices pour ne pas avoir opposé de résistance. Voilà un point du droit impérial chinois qui consacre la piété filiale comme moteur principal des relations familiales et restreint son domaine de domination absolue à la famille.

Bien que légalement reconnu, le divorce est pour ainsi dire inexistant dans la société traditionnelle. On détermine cependant trois formes de divorce : la répudiation (*chugi*), le divorce pour fautes morales (*yi jue*) et le divorce par consentement mutuel (*heli*). Sept motifs différents peuvent justifier la répudiation ; parmi ceux-ci, le manquement de l'épouse aux devoirs filiaux envers ses beaux-parents est le plus fréquemment invoqué. Le divorce pour fautes morales est très rare. Il faut alors que le mari ou sa famille soient reconnus avoir forcé l'épouse à se donner à d'autres hommes, l'avoir dégradée au rang de concubine ou l'avoir sérieusement blessée. Pour la partie féminine, ce divorce peut être invoqué en cas d'adultère et de vente de l'épouse à une tierce personne en l'absence de son mari. Un divorce se règle de la façon suivante : le mariage est considéré comme n'ayant jamais été conclu ; la femme retourne dans sa famille, si celle-ci l'accepte ; les enfants restent avec leur père et le prix de la fiancée est remboursé, à moins que le mari ne soit la cause du divorce. Une femme n'a que peu de recours contre un mariage invivable. Si elle pense avoir recours au divorce pour fautes morales, elle doit s'assurer de la coopération d'un magistrat, chose difficile à obtenir. Quant au divorce par consentement mutuel, il est si rare qu'elle ne peut y compter. La solution traditionnelle à un mariage malheureux pour la femme reste le suicide.

Le mariage étant le premier pas vers la création de la famille, ses fondements reposent sur les principes d'organisation de la famille traditionnelle. L'autorité paternelle préside à l'ensemble du processus. L'union de deux personnes n'est pas la fin du mariage mais constitue plutôt le moyen d'assurer la continuité de la lignée familiale et la transmission de la terre et autres biens de production. Le lien parental prédomine sur le lien conjugal et les manifestations d'intimité ou d'amour entre les époux sont découragées. La femme acquiert très peu de droits en se mariant. Quoique partageant le rang et les honneurs dus à son époux, elle n'a aucun droit sur elle-même ni sur sa famille. La notion unilatérale de chasteté, le concubinage, les préjugés contre le remariage des veuves, toute la morale confucéenne liée au mariage et aux relations maritales expriment de façon nette le système patriarcal. Les pouvoirs économique et politique liés à la possession de la terre déterminent les rapports de pouvoir au sein de la famille et de son excroissance, le clan. De même, le pouvoir impérial s'appuie sur le patriarcat pour asseoir son autorité physique et morale : tout comme les membres inférieurs du groupe familial ont le devoir de piété filiale, les citoyens sont tenus d'être loyaux à l'Empereur.

Il ne faudrait toutefois pas tomber dans des généralisations hâtives. S'il est vrai que le modèle familial traditionnel s'organise selon ces principes, la réalité n'en fait pas la règle absolue. Il faut tenir compte aussi bien des différences régionales que des différences de classe. Ainsi, la réalité de la paysannerie et des masses poulaires est toute autre que celle des classes de hobereaux et de propriétaires fonciers. Il faut s'attendre à une moindre domination de l'autorité patriarcale parmi ceux qui ne possèdent pas les moyens économiques de la soutenir. De plus, le mariage et, par là, la possibilité de fonder ou de perpétuer la famille, n'est pas le fait de toutes les couches sociales. Mao Zedong, dans une enquête sur la province du Jiangxi, révèle la situation particulière d'un district : alors que tous les propriétaires fonciers et les paysans riches ont une femme, seulement 70 % des artisans et des paysans pauvres sont mariés et les ouvriers agricoles se retrouvent en bas de l'échelle, 1 % seulement d'entre eux ayant réussi à prendre femme [17]. Malgré ces variations, le modèle familial, qui ne s'actualise pleinement qu'au sein des classes dirigeantes, reste toujours celui vers lequel tendent les autres classes de la société traditionnelle. Il faudra attendre la fin du 19e siècle et l'apparition de nouvelles classes sociales issues du développement de l'industrialisation pour assister à des transformations significatives des relations familiales.

La révolution de la famille

L'impact de l'industrialisation et l'influence des idées européennes à partir de la fin du 19e siècle sont au coeur de profonds changements qui affectent l'organisation de la société chinoise traditionnelle. La formation d'une bourgeoisie nationale, la prolétarisation de couches nombreuses de la population, la pénétration d'un système d'éducation occidental, l'apparition d'une intelligentsia urbaine qui se distingue de l'intelligentsia impériale par son esprit critique vis-à-vis de la culture traditionnelle, ses opinions politiques différentes et son patriotisme moderne, la mobilité démographique grandissante, tous ces facteurs contribuent à donner le premier coup à l'organisation traditionnelle de la famille. Dans les années 20, le Mouvement de la culture nouvelle de 1917 et le Mouvement du 4 mai 1919 amènent la première critique d'envergure de la morale confucéenne. La jeunesse et les intellectuels attaquent l'autorité patriarcale et exigent la liberté de choix dans le mariage, celle de former librement des amitiés avec l'autre sexe et, enfin, la libération des femmes, leur droit à l'éducation, au travail, et à participer aux activités politiques et sociales. Le schéma traditionnel familial se transforme d'abord au sein de la bourgeoisie nationale et de l'intelligentsia. La « Révolution de la famille » atteint bientôt les couches prolétaires des grandes entreprises. En 1930, le gouvernement nationaliste promulgue un code civil où sont incluses des clauses concernant la liberté de mariage et l'égalité des sexes. Le code reflète les changements apparus en milieu urbain ; le gouvernement nationaliste ne fait cependant aucun effort pour initier des transformations semblables en milieu rural. Si bien qu'à la veille de la libération, de grands changements avaient déjà affecté l'organisation familiale traditionnelle. La prise du pouvoir par le PCC ne fait qu'asséner le coup de grâce à un système déjà chancelant.

2
Le projet social
de la nouvelle Chine

En 1949, Mao Zedong proclamait, à Beijing, la fondation de la République populaire de Chine. À Shanghaï, les marchands occidentaux liquidaient leurs affaires. Les cadres du Parti travaillaient à regrouper les ouvriers en syndicats pendant que les nouvelles autorités négociaient la coopération avec les entreprises locales. On s'apprêtait à fermer les maisons de jeux et les maisons closes. Shanghaï était tombée sans tambours ni trompettes. Les soldats débraillés et sous-payés des armées de Jiang Jieshi (Tchang Kaï-Chek) s'étaient soudainement évaporés, en route peut-être pour Taïwan. D'autres nationalistes s'étaient rendus à l'Armée populaire de libération (APL), par régiments entiers (comme beaucoup l'avaient fait avant eux). Habillés et chaussés de coton, des jeunes paysans patrouillaient maintenant les rues.

Loin des grandes villes, d'autres cadres mettaient en branle un mouvement qui prendrait des proportions énormes, la réforme agraire. Dans tous les villages, les paysans étaient invités à s'émanciper en s'opposant au pouvoir des propriétaires fonciers. Les vieux titres de propriété étaient brûlés sur la place publique et la terre redistribuée à tous les paysans. Par ailleurs, une autre équipe de cadres, composée de femmes, visitait leurs soeurs dans les maisons. Là aussi, on y parlait d'émancipation...

Scénario inédit ? Non pas ; en 1949, le Parti communiste avait déjà fait l'expérience de gouverner. Depuis la Longue marche (1934-1936), tout au long de la guerre sino-japonaise (1937-1945) et de la guerre civile (1946-1949), il avait établi des « zones libérées » regroupant plusieurs milliers de personnes. Chaque fois, il y proclamait une loi sur la réforme agraire et une loi sur le mariage. Le couplage automatique de ces deux mesures légales et sociales reflète bien la conception chinoise communiste du développement des sociétés. D'une part, la famille traditionnelle chinoise est vue comme une entrave au développement économique. D'autre part, renouant avec les mouvements réformistes indigènes, héritier politique de ceux-ci, le Parti communiste doit apporter son soutien aux femmes et à la jeunesse, les grands perdants de la tradition.

Mao Zedong, se basant sur la vision marxiste de l'évolution par stages des sociétés, définit la société chinoise traditionnelle comme féodale. Néanmoins, il ajoute que la pénétration de l'impérialisme occidental, à partir des guerres de l'opium de 1840, a fondamentalement altéré le caractère féodal de la Chine, aux points de vue économique (destruction de l'économie paysanne d'autosubsistance), politique et social. Il définit la société chinoise de la première moitié du 20e siè-

cle comme « semi-féodale et semi-coloniale [1] ». Les
représentants des classes féodales s'allient aux pouvoirs occidentaux et à la bureaucratie compradore. La
bourgeoisie nationale ne peut s'affirmer économiquement et politiquement face à ce pacte de la grande noir-
ceur. Seule l'idéologie de la classe ouvrière, importée
de l'Occident par le biais de la Révolution d'octobre
en Russie et adaptée à la réalité chinoise, peut cataly-
ser les forces d'opposition, soulever les masses oppri-
mées et abolir le féodalisme tout en libérant la Chine
du joug colonialiste [2].

La partie féodale de la formule « semi-coloniale et
semi-féodale » fait référence à l'organisation sociale
qui gouverne les relations au sein de la masse de la
population, en particulier des paysans. Selon Mao :

> Les hommes se trouvent ordinairement soumis en
> Chine, à l'autorité de trois systèmes : 1. le système
> d'État ou le pouvoir politique : les organes du pouvoir
> à l'échelon de l'État, de la province, du district et du
> canton ; 2. le système du clan ou pouvoir clanal : le tem-
> ple des ancêtres du clan, le temple des ancêtres de la
> lignée, les chefs de famille ; 3. le système des puissan-
> ces surnaturelles ou le pouvoir religieux, constitué par
> les forces souterraines. [...] Quant aux femmes, elles
> se trouvent en outre sous l'autorité des hommes ou
> le pouvoir marital. Ces quatre formes de pouvoir
> — politique, clanal, religieux et marital — représentent
> l'ensemble de l'idéologie et du système féodalo-
> patriarcal et sont les quatre grosses cordes qui ligo-
> tent le peuple chinois et en particulier la paysannerie.
> (Le pouvoir des propriétaires fonciers) est le pivot
> autour duquel gravitent toutes les autres formes de
> pouvoir [3].

Cette analyse de la société chinoise est la base sur laquelle s'articulera la stratégie de changement sociopolitique du PCC. En pratique, elle implique la prédominance de la lutte contre le système de propriété foncière sur tous les autres mouvements de réforme. Car, pour Mao, la clé de voute de l'édifice féodalo-colonial, c'est le pouvoir des propriétaires fonciers. En attaquant leur pouvoir économique et politique, les autres systèmes d'autorité s'affaibliront et seront d'autant plus vulnérables aux luttes spécifiques dirigées contre eux.

La vision sociale ainsi élaborée permet aussi au PCC d'utiliser les contradictions familiales dans la lutte contre le pouvoir des grands propriétaires. En ralliant à sa cause les femmes et la jeunesse, le mouvement révolutionnaire communiste s'attache de précieux alliés qui l'aideront dans la victoire militaire et constitueront son appui le plus précieux dans les mouvements de réforme qui suivront la prise du pouvoir. Comme le dit si bien un observateur occidental parcourant les zones de guérilla durant la guerre civile : « Parce qu'ils (les communistes) ont trouvé la clé qui ouvre le coeur de ces femmes, ils ont aussi trouvé l'une de celles qui mena à la victoire sur Tchang Kaï-Chek [4]. »

Nous avons déjà vu que la famille traditionnelle agit comme unité de production agricole et qu'elle s'organise selon le principe d'interdépendance des membres de la famille sur le plan économique. La réforme agraire en distribuant les terres aux individus, sans distinction de sexes, affirme l'indépendance économique des femmes. Celles-ci peuvent ainsi obtenir le divorce en vertu de la nouvelle loi sur le mariage tout en étant assurées des moyens économiques de survivre.

La réforme agraire joue donc un double rôle, celui de libération de la paysannerie de la production féodale et celui de rôle d'appui dans la libération des relations familiales. Le passage de la propriété familiale à la propriété individuelle doit éliminer la base économique du pouvoir patriarcal. Sur le plan de l'organisation agricole, la loi sur la réforme agraire est le premier pas vers la collectivisation ultérieure des forces productives. Pour la famille, c'est la création d'individus indépendants et l'ébauche de nouvelles relations, entre membres égaux.

Il faut noter ici que le PCC n'a jamais eu comme objectif l'élimination radicale de la famille. Au contraire, la famille est toujours considérée comme l'unité sociale de base. Il n'est pas question de survie de la famille mais bien de sa transformation. Les relations patriarcales au sein de la famille sont incompatibles avec le système social que les communistes entendent élaborer. La transformation de la famille doit plutôt servir de support à la libération des forces productives (en particulier celle des femmes) et ainsi contribuer à la construction économique d'une nouvelle société [5].

En éliminant les bases économiques de l'autorité parentale traditionnelle, le projet communiste entend porter un grand coup à la structure même du pouvoir patriarcal. La soumission de l'individu aux intérêts familiaux entre en contradiction avec la socialisation de la production et les buts politiques de l'établissement d'un pouvoir de démocratie nouvelle. La loyauté de l'individu envers son groupe de parenté doit être remplacée par la loyauté envers le groupe social plus large et son représentant, l'État [6].

Le mariage étant la clé de voute de l'organisation familiale, la promulgation de nouvelles lois et règlementations [7] le concernant s'attellera à l'élimination de la structure d'autorité patriarcale.

La lutte pour l'émancipation des femmes et l'égalité des sexes est au coeur de toutes ces législations. Par principe, et aussi par stratégie, le PCC doit fournir aux femmes ces instruments de lutte et de négociation, créés et approuvés par lui, afin qu'elles puissent s'engager dans la vie sociale, économique et politique, y faire valoir leurs droits tout en s'affirmant comme membres à part entière de la nouvelle famille.

La loi sur le mariage de 1950

Parcourant le texte officiel de la loi sur le mariage, on ne peut que s'étonner de son extrême simplicité et de sa concision. Ceci s'explique par la conception éminemment pratique que le PCC a de la loi : celle-ci n'est qu'un instrument qui doit être facilement utilisable, dans toutes les circonstances et par des personnes dont le niveau d'instruction n'est souvent pas élevé. Dans le contexte spécifique de la loi sur le mariage, le texte est l'expression d'une politique générale du Parti et, comme tel, doit être accessible à la majorité de la population et contribuer à son éducation politique :

> Dans son esprit, la nouvelle loi vise évidemment à accomplir l'émancipation complète des femmes et l'égalité des sexes à travers la Chine. Dans sa forme, elle

est conçue comme un moyen de gouvernement qui, le cas échéant, peut être utilisé pour influencer l'évolution des moeurs et, par là même, orienter la politique démographique du pays [8].

Plus qu'une mesure visant le mariage, la nouvelle loi est un code de la famille et des nouvelles moeurs. Le texte trace les grandes lignes de la lutte contre les formes féodales et propose une nouvelle famille basée sur un nouveau mariage. Il peut à la fois servir de guide au règlement des querelles et conflits relatifs à la place nouvelle des femmes et d'orientation pour la démocratisation des relations familiales. L'interprétation même de certains articles du texte différera selon les périodes. C'est que la formulation est assez large pour englober diverses nuances, nuances tour à tour accentuées en fonction des problèmes sociaux créés par le processus du développement du socialisme ou parce que tel aspect spécifique de la législation est plus adapté à une politique que le PCC veut implanter. Il ne faut donc pas y voir une simple loi mais plutôt le condensé de l'orientation idéologique et morale du nouveau régime.

À la façon chinoise, l'article 1 des principes généraux procède par opposition. Sa première partie dénonce le système du mariage féodal fondé sur des arrangements arbitraires et coercitifs, la suprématie de l'homme sur la femme, au détriment des intérêts des enfants. Ce système doit être détruit pour être remplacé par le « système de mariage de démocratie nouvelle, fondé sur le libre choix des partenaires, la monogamie, l'égalité des droits entre les deux sexes et la protection des intérêts légitimes des femmes et des enfants ». Il ne peut y avoir d'ambiguïtés : il faut abolir un système pour en bâtir un autre. L'article 2 des principes généraux proscrit les coutumes féodales reliées au mariage : la bigamie, le concubinage, le système des fiancés-enfants, les jeux d'influence dans le remariage des veuves, et l'exaction d'argent ou de cadeaux liée au mariage.

Les chapitres suivants abordent le contrat de mariage, les droits et devoirs du mari et de la femme, les relations entre parents et enfants, le divorce, et les problèmes des enfants et de la propriété en cas de divorce. La portée de la loi est donc bien plus large que son titre ne le laisse soupçonner. Elle couvre l'étendue des relations familiales et constitue bien plus un code de la famille qu'un code marital. L'examen du texte révèle les caractéristiques suivantes.

Le lien conjugal est privilégié au détriment du lien filial. L'article 3 prohibe l'intervention d'un tiers dans la conclusion du mariage. L'âge légal du mariage est de 20 ans pour les hommes et de 18 ans pour les femmes. Cependant on encourage les mariages tardifs (l'âge précis prescrit par les directives politiques change selon les périodes) et cela, pour plusieurs raisons : soutien au programme de contrôle des naissances, protection de la santé des jeunes dans la phase la plus active de leur vie, encouragement à l'émancipation des femmes. Par ailleurs, la détermination de l'âge requis pour le mariage par l'État a aussi comme effet objectif de permettre aux enfants d'acquérir une plus grande indépendance économique et affective par rapport à leurs parents avant de faire le choix de leur futur conjoint. Plus les jeunes se marient tard, plus ils ont la chance de parfaire leur éducation politique et d'avoir assez de confiance en eux-mêmes pour résister à l'autorité patriarcale qui ne peut ni ne veut abandonner ses prérogatives sur la famille.

L'important chapitre sur les droits et devoirs du mari et de la femme constitue une nouveauté par rapport aux autres lois promulguées dans les zones libérées. Il privilégie le lien marital (article 7) et l'égalité des deux sexes dans le travail (article 9), dans la propriété et la gestion des biens familiaux (article 10), dans les règles d'héritage (article 12). Enfin, la femme a légalement le droit de garder son propre nom de famille.

L'article 8 est d'une grande importance en ce qu'il nous donne une définition succincte de la nouvelle cellule familiale socialiste : « Le mari et la femme sont liés en devoir par l'amour, le respect, l'aide et l'assistance mutuelle ; ils doivent vivre en harmonie, participer au travail productif, prendre soin des enfants et lutter pour le bien-être de la famille et la construction d'une nouvelle société. » Ainsi on consacre l'amour et la camaraderie comme moteurs de l'union maritale ; au sein de la famille, les deux sexes sont égaux dans leurs droits et devoirs ; la cellule familiale a la responsabilité de l'éducation des enfants ; et toute son activité doit être orientée vers la création d'une nouvelle société. Le chapitre suivant sur les relations entre les parents et les enfants confirme l'horizontalité de la nouvelle famille. Il consacre la famille comme unité sociale de base où « ni les parents ni les enfants ne peuvent se maltraiter ou se déserter ».

Les clauses sur le divorce légitimisent la séparation par consentement mutuel. Pour un divorce demandé par l'une des parties, la loi prévoit que les autorités, aux niveaux du district et du comté (ou de la municipalité), ont le droit de tenter une médiation entre les deux parties. Les enfants sont clairement identifiés comme liés par le sang à leurs parents. S'il y a divorce, les deux parties en sont responsables. La garde des enfants est décidée par les parents, en accord avec les organes judiciaires concernés qui autorisent l'affaire. La femme conserve toute propriété légitime après son divorce. La propriété familiale est divisée en accord avec les deux parties ou par décision de la Cour si les deux parties n'arrivent à aucun accord.

Le dernier chapitre prévoit des sanctions pour quiconque enfreint la loi. De plus, toute personne reconnue coupable d'avoir interféré avec la liberté de choix dans le mariage, et dont l'action aura entraîné la mort ou des blessures devra encourir des peines criminelles.

La loi s'accompagne de réglementations sur l'enregistrement des mariages. Celles-ci sont le garant de la bonne application de la loi, les cadres responsables de l'enregistrement devant veiller à ce que les différentes clauses soient respectées dans toutes les transactions maritales. La mise en pratique de ce nouveau « code » des relations et des moeurs dans la famille n'est cependant pas chose facile. La loi sur le mariage ne coïncide pas avec des transformations sociales substantielles qu'il est nécessaire de protéger ; elle a plutôt pour fins d'initier de tels changements et de garantir leur pérennité. Son influence sur la société chinoise ne sera pas immédiate mais fonction des modes de son application.

La loi sur le mariage et les changements sociaux

La promulgation de la loi sur le mariage en 1950 est indubitablement le fer de lance d'un mouvement de masse de longue durée par lequel le PCC entend entraîner des transformations profondes dans la société chinoise. Nous avons vu que les transformations économiques et sociales au tournant du 20ᵉ siècle avaient déjà altéré la toute puissante tradition dans le mariage et la famille au sein des couches de la bourgeoisie moyenne et de l'intelligentsia urbaine. Le gouvernement du Guomindang avait en son temps promulgué des législations confirmant l'égalité des sexes et la liberté de mariage. Ces mesures n'avaient cependant jamais vraiment été mises en vigueur et leur portée sociale fut minime [9].

Le PCC à la prise du pouvoir en 1949, et se fondant sur l'expérience du gouvernement des zones libérées, reprit à son compte les principes de la « révolution de la famille » et en étendit l'influence à l'ensemble de la population. Des changements sociaux qui jusque-là étaient restreints aux couches privilégiées de la population se fondèrent en un véritable mouvement de masse.

L'histoire complète des transformations du mariage et de la famille depuis l'avènement du pouvoir populaire en République populaire de Chine reste encore à écrire. Les auteurs occidentaux qui se sont penchés sur la question n'ont eu d'autres recours que de fonder leur analyse sur les documents qui proviennent de Chine et qui ne sont, pour la plupart, que des outils de propagande. Ces documents peuvent évidemment fournir de précieux renseignements, mais leur rythme de parution est pour le moins inégal et inattendu. Ajouter à cela le fait que les maisons de publications chinoises ne s'intéressent pour ainsi dire pas aux descriptions exhaustives de l'évolution des relations familiales, que les rapports gouvernementaux ou ceux du PCC ne sont pas destinés à la consommation de masse et que les chercheurs étrangers qui ont pu mener des études sur le terrain se comptent sur les doigts de la main, et on comprendra qu'il s'agit de mettre en place les pièces d'un casse-tête pour établir l'image la plus juste possible de la situation. Quoi qu'il en soit, le rythme même des publications de propagande sur le sujet peut nous renseigner sur l'évolution du mouvement de masse orienté vers la transformation du mariage et des relations familiales, tout comme le contenu de diverses campagnes reliées au même problème.

Pour les besoins de l'analyse, il est possible de diviser l'évolution récente du mouvement en trois périodes distinctes : la période du mouvement associé à la promulgation de la loi sur le mariage (1950 à 1958) ; la période du mouvement de collectivisation (1959 à 1966) et enfin la Révolution culturelle (1966 à 1976) [10].

Le mouvement de réforme du mariage

Le mouvement de masse associé à la promulgation de la loi de 1950 se caractérise par des vagues sporadiques d'activisme, entrecoupées de ressacs plus calmes. Au cours des quatre premières années (1950-1954), la réforme du mariage marche main dans la main avec la réforme agraire à la campagne et les mouvements de Trois-antis et Cinq-antis [11] en milieu urbain. Il s'agit d'abolir « l'ancienne société » et de jeter les bases d'une société socialiste. Une directive gouvernementale de 1950 confirme d'ailleurs cette parenté : elle recommande que la réforme du mariage soit menée selon les mêmes techniques que la réforme agraire, soit celles des réunions publiques d'accusation et des tribunaux de masse [12].

L'enthousiasme de beaucoup de cadres et leur manque d'expérience va provoquer des tensions sociales aiguës. Dissolutions unilatérales de mariages arrangés, remariage quasi forcé des veuves, humiliation et condamnation des maris qui battent leur femme, tout cela se traduit bientôt par une hausse du nombre de divorces, des problèmes maritaux graves et des suicides attribuables aux difficultés matrimoniales. Le but du gouvernement et du PCC n'étant justement pas d'antagoniser les relations au sein du peuple [13] et de se mettre à dos la population, la mise en application de la réforme du mariage est atténuée dès 1952. Un an plus tard, les mouvements de réformes parallèles ayant été couronnés de succès et la situation sociale s'étant stabilisée, on proclame le « mois de la loi sur le mariage » (mars 1953). Mais la pratique a changé et, aussi bien pour les cadres que pour la population, on met l'emphase sur la modération et l'éducation par la propagande.

Cette campagne de propagande ne met plus l'accent sur la liberté de mariage et de divorce mais sur la création de relations familiales harmonieuses. À ce moment, la période de reconstruction de l'économie nationale est pour ainsi dire achevée et on entame la réalisation du premier plan quinquennal [14]. D'où l'importance d'assurer la paix familiale pour permettre aux masses de s'impliquer totalement dans le développement économique. Mariages et divorces précipités sont critiqués comme des produits de l'idéologie capitaliste tels la recherche du plaisir, l'attirance vers l'argent et le refus du travail. Les mariages arrangés ne sont plus si sévèrement critiqués et sont même admis dans la mesure où les conjoints y apportent leur consentement. Le mouvement de réforme en entier est donc réorienté vers des buts probablement plus réalistes en fonction du contexte social et des besoins de la production nationale [15].

S'il est aisé d'analyser les articulations successives du mouvement de réforme, il est plus difficile d'évaluer la portée concrète et statistique de la mise en application de la loi sur les familles chinoises. Les résultats publiés ne concernent que des régions distinctes et jamais l'ensemble du pays. On rapporte qu'en 1956, le système des compensations matrimoniales et les mariages hâtifs se portent bien dans plusieurs régions [16]. Dans les régions rurales comme le Shanxi, 90 % des mariages sont encore arrangés par les parents, et constituent la normalité dans l'ensemble du milieu rural [17]. Enfin, l'attitude de la population ne s'est pas drastiquement transformée. Ainsi, les femmes sont encouragées à prendre part à la production et à s'impliquer politiquement autant que les hommes. Alors que leur nombre s'accroît dans les usines et les champs, elles ne jouissent pas du même statut ni du même salaire que les hommes. Le magazine *Femmes de Chine* publie maintes lettres dénonçant les cadres trop chauvins et l'attitude générale de discrimination et de mépris envers les femmes.

Les communes populaires et la collectivisation

Le Grand bond en avant et la création des communes populaires en 1958 ont donné lieu à diverses spéculations sur la disparition de la famille [18]. Socialisation des tâches ménagères, prise en charge de l'éducation des enfants par l'État, création de garderies, de réfectoires communautaires, de maisons pour les vieillards, toutes ces mesures (dont certaines seront bien vite abolies) sont publicisées de concert avec une propagande qui loue les bienfaits de la collectivisation. Les relations matrimoniales idéales selon l'esprit de la loi de 1950 ne peuvent véritablement se développer qu'au sein du système social et de l'organisation économique des nouvelles communes. Les membres de celles-ci sont tous égaux et jouissent de nouvelles perspectives économiques avec tout ce que leur promet le Grand bond. Mari et femme peuvent donc se réclamer des mêmes avantages économiques et sociaux, ce qui leur permet d'établir un lien matrimonial véritable fait « d'amour, de respect et d'assistance mutuelle ». Tout comme à la fin du mouvement de réforme du mariage, la propagande insiste non pas sur la dissolution nécessaire de liens traditionnels, mais sur la consolidation des nouvelles relations familiales empreintes de stabilité et d'harmonie et orientées vers la participation à l'effort collectif de construction.

Par ailleurs, les projets ambitieux proposés par le programme du Grand bond exigent une plus grande main-d'oeuvre. Il faut alors libérer les femmes de leurs tâches domestiques et mettre à contribution leur force de travail dans les travaux d'infrastructure. Si le nombre de femmes participant à la production avait augmenté depuis la libération, il restait encore des milliers de paysannes prisonnières de leur maisonnée. La solution aux problèmes de manque de main-d'oeuvre et au drainage de la force féminine pour le service de la collectivité réside donc dans la socialisation des tâches ménagères. Ainsi, les femmes répondent aux besoins de l'État, tout en s'assurant de leur émancipation complète.

Durant l'année 1958, la mise sur pied des communes populaires s'accompagne donc d'un vent de « communisation » de la vie sociale et familiale. En plus de permettre aux femmes de travailler en les déchargeant de leur fardeau domestique, la collectivité prend la préséance sur la famille. L'éducation qui, jusqu'alors, était à la charge de l'État tout en étant aussi du ressort de la famille, se détache de la base familiale avec les projets de garderies à temps plein et d'écoles primaires avec internats, ceci afin de favoriser l'éducation socialiste de la jeune génération. De même, les communes s'activent pour la création de foyers de vieillards, innovation « avant-gardiste » face aux devoirs séculaires des enfants envers leurs parents.

Théoriquement, tout semble en place pour accélérer la disparition du noyau familial comme unité sociale de base. Les femmes, s'émancipant économiquement et socialement en participant à l'agriculture ou à l'industrie, pourront désormais choisir elles-mêmes leur conjoint. Les pratiques féodales liées aux mariages traditionnels dépériront. De plus, la famille, unité de consommation, n'aura plus de raisons d'être avec la collectivisation des tâches ménagères. Son rôle de socialisation lui sera aussi enlevé car l'État prendra en charge l'éducation complète des enfants. Enfin, son rôle de protection des membres improductifs disparaîtra avec la création de services sociaux multiples.

Mais c'était aller trop loin. À travers la famille, ces suggestions menaçaient directement les individus et le tissu social qui les liait les uns aux autres. Essentiellement agraire, le mouvement du Grand bond se heurta à la résistance passive des paysans. À la fin de 1959, les communes sont réorganisées et « déradicalisées ». Toutefois, l'expérience d'industrialisation « sauvage » des campagnes a permis d'élargir un peu l'horizon local des paysans. Et des milliers de femmes ont accédé au travail.

L'échec économique du Grand bond et les trois années de catastrophes naturelles qui l'accompagnent (1960-1962) provoquent une importante crise économique. Discours et propagande sur la famille et la réforme du mariage sont laissés de côté et ne sont plus mentionnés qu'en fonction du contrôle des naissances et de l'application du principe du mariage hâtif. Les luttes contre les traditions féodales et pour la création d'un nouveau mariage sont rarement mentionnées dans la presse. Il semble cependant que, jusqu'à la veille de la Révolution culturelle, plusieurs de ces coutumes soient encore répandues :

Les idées et les coutumes traditionnelles léguées par les systèmes de la propriété privée et de l'exploitation de classe ne s'évanouissent pas soudainement... Aux points de vue du statut des femmes et des relations maritales et familiales, les vieilles idées persistent encore [19].

La Révolution culturelle

Contestée dans sa forme puis dans son contenu depuis la fin de 1979, la Révolution culturelle couvre, selon le PCC du 10e congrès, les années 1966 à 1976. Révolte de la jeunesse ou luttes acharnées de différentes factions pour le pouvoir, les deux appellations se justifient également. Dans sa première phase (1966-1969), c'est effectivement la jeunesse qui prend la barre d'un mouvement de masse qui n'est en fait que l'excroissance volontaire de luttes au sommet. Cette première phase se caractérise par des attaques violentes contre « l'ancien » et des campagnes pour des réformes sociales, culturelles et idéologiques. La famille, le mariage et les stigmates de la féodalité qui s'y rattachent toujours sont l'objet de nouvelles attaques. L'heure n'est plus aux dénonciations du sort des femmes au sein du mariage et de la famille, c'est maintenant à l'autorité du père et des générations âgées d'essuyer les coups.

L'origine du mouvement des gardes rouges est complexe. On pense généralement qu'ils furent encouragés à se jeter dans la bataille pour une double raison. D'une part, Mao Zedong, à la lumière de l'expérience soviétique, s'inquiétait de la bureaucratisation de l'appareil communiste. Pour lui, il devenait alors nécessaire de reprendre la barre de la révolution à la faveur d'un mouvement de masse, afin de reconquérir son autorité sur le PCC. Les meilleurs activistes étaient à portée de la main. La jeunesse, élevée dans les chansons à la gloire de Mao le libérateur, était facile à soulever. En lançant le mouvement au sein des institutions scolaires et universitaires, Mao s'assurait aussi le support de toute une partie de la jeunesse qui, d'origine ouvrière ou paysanne, avait moins de chances d'accéder à l'éducation supérieure.

D'autre part, Mao pensait faire d'une pierre deux coups. Il voulait aussi donner à cette jeunesse l'expérience de la lutte révolutionnaire. Pour lui, les préoccupations quotidiennes des jeunes et les perspectives d'éducation et d'emploi ouvertes par les générations antérieures pouvaient, si elles n'étaient pas replacées dans le contexte de la poursuite de la révolution, mener à la création d'une génération peu préoccupée de politique.

Sur le plan idéologique, la Révolution culturelle met donc l'accent sur les dangers d'embourgeoisement, de corruption des idéaux socialistes. On ne critique plus tellement le mariage et la famille traditionnels comme entravant la libération des femmes et les confinant à l'esclavage. Ce qu'on attaque désormais dans la famille, ce sont les générations âgées, c'est l'intérêt de la famille entrant en conflit avec l'intérêt de l'État socialiste. On attaque la capacité de la famille de générer le « révisionnisme » et de promouvoir les intérêts personnels. La famille qui, traditionnellement, sert de lien entre la personne et la société, est contestée dans ce dernier rôle. Elle est vue comme un obstacle entre l'individu et l'État ; c'est la lutte entre l'intérêt privé et l'intérêt public, thème central de la propagande contre le révisionnisme. La jeunesse critique l'égoïsme politique et social des générations plus âgées. Nouvelles et romans présentent ces « enfants de la patrie et du Parti » qui mettent sur pied des sessions d'étude idéologique et organisent des réunions de critique/autocritique dans leur propre famille. Avec la « politique au poste de commande », les relations interfamiliales doivent s'abreuver essentiellement aux sources de la camaraderie animée de l'esprit révolutionnaire. On ne compte plus aujourd'hui les histoires d'enfants amenés à critiquer ouvertement et publiquement leurs parents pour leur esprit capitaliste ou révisionniste [20], comme on critiquerait des camarades ou des ennemis de la nation ou du Parti. Tous les individus sont membres de la « grande famille » qu'est la nation, ont les mêmes droits et devoirs, indépendamment de la trop traditionnelle hiérarchie filiale. Le Président Mao est le chef de chaque famille. Les repas pris en commun et les conversations téléphoniques s'ouvrent sur une citation du Grand Timonier qui mène ses enfants vers la victoire socialiste. Lors des mariages, les mariés ne se prosternent plus vers le ciel et la terre et les tablettes des ancêtres mais devant l'inévitable portrait du Président, à la fois père et ancêtre [21]. L'amour romantique est qualifié de bourgeois : le choix du conjoint doit reposer sur une appréciation mutuelle des qualités révolutionnaires de dévouement et d'ardeur au travail. Les histoires d'amour et le romantisme disparaissent progressivement de la littérature et des films, aussi bien des productions récentes qu'anciennes [22]. L'amour du prolétariat doit toujours l'emporter sur l'amour petit-bourgeois qui risque d'entraver les motivations révolutionnaires de la jeunesse. Bref, l'autorité patriarcale est attaquée par le biais de la lutte contre les idées « bourgeoises ». Les liens familiaux ne doivent en aucun cas avoir la préséance sur la loyauté de l'individu envers l'État.

Au-delà de la propagande, les nouvelles mœurs ont cependant du mal à s'implanter. La pruderie qui transparaît dans les journaux et la production littéraire trouve son opposé dans les comportements pas toujours « moraux » des gardes rouges. La lutte contre l'autorité patriarcale prend des allures d'opposition à toute autorité, quelle qu'elle soit. Les gardes rouges se scindent en factions et passent de la joute oratoire à la violence. Menaçant la stabilité sociale et risquant de provoquer de trop grandes pertes économiques, ils sont envoyés en masse à la campagne. Isolés dans leur nouvel environnement, souvent mal reçus par la population paysanne [23], ils se tournent, ironie du sort, vers leur famille. Il n'y a plus qu'elle pour les soutenir financièrement et même affectivement. Pour plusieurs, l'enthousiasme cède à la désillusion : on leur avait proposé une nouvelle morale, une nouvelle philosophie de vie englobant tout, de la famille au mariage en passant par le travail, et cependant les cadres qui les encourageaient à ce faire, ne semblaient pas adopter la même philosophie. De leurs campagnes, les jeunes apprennent le jeu du *la guanxi* (piston) pour entrer à l'université, ou quitter la campagne à n'importe quel prix. La famille retrouve toute son importance face à l'esprit révolutionnaire qui, pour être louable, ne vaut pas une « bonne » origine et des appuis importants quand il s'agit de vivre un peu mieux. Et la campagne *Pi Lin Pi Kong* en 1972 [24], si elle dénonce plusieurs aspects de la féodalité et s'en prend à toutes les vieilleries attaquées par les gardes rouges au début de la Révolution culturelle, se meurt vite dans les aléas des luttes entre factions.

Ainsi, à la veille de la chute des « quatre », la famille traditionnelle a été attaquée dans ses fondements les plus importants : la hiérarchie des sexes et celle des âges. Au moyen du travail idéologique de lutte et de persuasion, le gouvernement populaire s'efforce de promouvoir une conception nouvelle du mariage et des relations familiales. La prédominance du lien de filiation doit céder le pas au lien conjugal. Même si les unités familiales restent trigénérationnelles, le mariage doit être le départ d'une relation égalitaire entre homme et femme ayant les mêmes devoirs envers leur progéniture. Ces devoirs sont ceux de respect et d'assistance, et, en principe, de non-interférence dans le choix du conjoint. Les attaques directes contre la féodalité de la famille traditionnelle, nécessaires pour influencer les esprits après la promulgation de la loi sur le mariage en 1950, disparaissent graduellement. Certes, des informations clairsemées révèlent tels comportements « arriérés », mais cependant, l'heure n'est plus à la destruction mais à la construction. Les attaques subséquentes contre la famille ne sont plus dirigées nominalement contre la tradition, mais contre l'influence de l'idéologie bourgeoise. Il faudra attendre l'année 1978 pour que le féodalisme revienne sur la scène. Quelques années seulement après les héros unis dans un amour révolutionnaire commun sur grand écran, la presse chinoise abonde en histoires vécues de femmes séquestrées et battues, en descriptions de cérémonies de mariage déployant un luxe ostentatoire. La féodalité sort brusquement d'une courte veille, avec tout son apanage. Après les luttes sans merci contre le révisionnisme et l'idéologie bourgeoise de la Révolution culturelle, on s'interroge encore sur la force de deux mille ans d'histoire et de tradition.

3
Femmes-marchandises :
le mercantilisme et
le patriarcat

J'ai une amie chinoise qui est maintenant devenue archéologue. Je devrais plutôt dire qu'elle est enfin devenue archéologue. Car cela n'a pas été facile pour elle de poursuivre ses études. À son arrivée à l'université on avait essayé de la convaincre d'abandonner son premier choix, l'archéologie, pour des études en histoire. Pourquoi ? Parce que l'archéologie n'est pas un métier de femmes ; c'est bien trop éprouvant et difficile physiquement. Pourtant, elles étaient trois femmes à s'être inscrites en archéologie. Leur volonté de continuer malgré tout dans la spécialité qu'elles avaient choisie les a rendues complices et solidaires. Je crois bien que cette union leur a permis de passer à travers bien des crises. Par exemple, à la veille d'un stage pratique qui devait se tenir dans un véritable champ de fouilles, leurs confrères masculins se sont élevés contre leur participation au stage sous prétexte que, trop faibles, elles n'arriveraient pas à porter leur matériel et retarderaient tout le monde. Mais elles y sont quand même allées. Elles étaient certes minces mais elles ont quand même porté leurs paquets et sont revenues plus fortes qu'au jour du départ.

Ailleurs, à la campagne, combien d'autres jeunes filles sveltes comme des roseaux ont du mal à se marier parce qu'on les trouve trop maigres ? Il faut avoir la taille un peu plus forte pour calmer les appréhensions de la future belle-famille. Car, pour les paysans, une femme qu'on acquiert est une bouche de plus à nourrir, et elle devra faire sa part de travaux pour compenser ce service qu'on lui rend.

Je ne voudrais pas par là proclamer que cette situation est le lot de toutes les femmes chinoises. Après tout, mon amie de tout à l'heure a fini par obtenir son diplôme. Et bien d'autres femmes chinoises luttent tous les jours pour leurs droits. Cependant, il existe dans la société chinoise contemporaine de fortes tendances traditionalistes qui voient la femme comme inférieure et, partant, comme marchandise à échanger ou acheter.

Dès ses premières publications à la mi-78, le magazine *Femmes de Chine* lance une campagne contre les mariages mercantiles (*maimaihunyin*) et les mariages arrangés (*baobanhunyin*). Sous le titre : « Freiner les tendances malsaines des mariages mercantiles déguisés et bâtir de nouvelles habitudes socialistes », la rédaction collectionne divers témoignages à travers lesquels elle entend dénoncer des pratiques qui « chargent les masses, surtout les jeunes, d'un lourd fardeau idéologique et économique, influencent directement leur enthousiasme pour le socialisme et sèment la discorde au sein des familles [1] ». On y établit une nette distinction entre le mariage mercantile, le mariage mercantile déguisé (*bianxiang maimaihunyin*) et le mariage arrangé.

Le mariage mercantile

Le mariage mercantile, traité comme une simple affaire commerciale, s'organise avec ou sans le consentement des fiancés. Il se présente cependant souvent de pair avec le mariage arrangé, la langue chinoise l'exprimant sous le terme *baoban maimai hunyin* ou mariage arrangé mercantile. Alors que la loi sur le mariage ignore à toutes fins pratiques les fiançailles, le mariage mercantile y prend toute son essence. C'est lors des fiançailles, alors que les deux familles s'engagent à respecter l'entente, que l'on fixe le montant, en cadeaux ou en espèces, qui devra être versé à la famille de la fiancée. Nulle part on ne fait mention d'échanges dans la direction opposée. Il s'agit bien là d'un prix de la fiancée. Comme le disent de jeunes réfugiés :

> Seulement, les paysans sont des gens réalistes. Ils font leurs comptes : le revenu d'une famille varie selon le nombre de bras dont elle dispose, et aussi selon la qualité du travail fourni. Marier une fille équivaut à céder une certaine force de travail à d'autres. Alors, il faut absolument qu'il y ait compensation. En même temps, le fait que le garçon soit d'une famille aisée, le fait que sa force de travail soit suffisante, sont à prendre en considération. Et, du côté du garçon, puisqu'on paie, il est bien naturel qu'on veuille connaître la force de travail de la fille. C'est un type de rapports auquel personne ne songerait à redire, chez les paysans [2].

En milieu rural, où cette forme de mariage semble la plus répandue, la famille est l'unité de consommation par excellence. L'argent gagné par chacun des membres est versé dans la bourse commune et ensuite redistribué selon les besoins de chacun. Chaque force de travail compte et même la contribution des enfants [3]. La famille calcule donc qu'elle investit un certain montant d'argent en élevant une fille et, lors de son mariage, la perte de celle-ci comme force de travail déjà formée devra être compensée. De plus, la famille veillera à ce que le futur conjoint puisse subvenir convenablement aux besoins de la jeune épousée. Ce système est tellement ancré qu'il n'est pas rare de voir des parents marier leur fille avant leur fils afin d'assurer une bonne épouse à ce dernier [4]. Enfin, ce type de mariage favorise les mariages hâtifs :

> Le chef de la famille de la partie mâle presse le mariage : il y a loin de la coupe aux lèvres. Plusieurs fillettes sont fiancées dès leur dixième année ; le chef de leur famille peut dès lors se servir de l'argent, même les vêtements de la fillette seront fournis par la famille du fiancé. [...] Dans notre commune, plus d'une dizaine de couples se sont mariés de cette manière [5].

Le mariage mercantile est responsable de l'endettement de plusieurs familles paysannes. Dans un village de niveau moyen de la province du Hebei, un jeune paysan doit compter en moyenne 3 000 yuans pour les dépenses de son mariage [6]. Le revenu annuel moyen d'un paysan en 1978 est de 60 yuans. Toujours dans la province du Hebei, on rapporte le cas d'un autre paysan : à 23 ans, il se fiance avec une jeune fille d'un village voisin. La cérémonie des fiançailles à laquelle assistent plus d'une dizaine de membres de la famille de sa fiancée lui coûte plus de 100 yuans. Ses parents offrent un cadeau de fiançailles de 80 yuans en argent comptant. Par ailleurs, la partie opposée exige en cadeau les articles suivants : une montre, une bicyclette, quatre ensembles de lainage, 3 ensembles de sous-vêtements, 4 paires de chaussures et 4 paires de bas. De plus, la famille réclame la construction, avant le mariage, d'une maison de 3 travées, l'achat d'une horloge, d'une armoire, d'une machine à coudre, de 2 chaises, 12 autres ensembles de vêtements, 4 paires de souliers en cuir, 4 pantalons, 4 paires de draps, une bassine, etc. Pour accéder à ces conditions, le jeune homme emprunte la somme de 500 yuans. Durant les trois années que durèrent les fiançailles, il a dû dépenser plus de 1 300 yuans, s'est endetté de 600 yuans et doit rendre 300 livres de céréales [7].

La plupart des témoignages relatés par la presse chinoise proviennent de régions relativement développées comme les provinces du Hebei, Shandong, Henan, etc. On peut aisément imaginer la situation dans les régions plus éloignées. Plusieurs informateurs nous ont révélé que, dans les régions montagneuses de la province du Shanxi, le prix des fiancées est directement proportionnel à leur poids, ce dernier servant d'étalon pour mesurer leur force de travail. Dans les régions montagneuses de la province du Guangxi, il existe un véritable commerce des femmes. Pour une jeune fille mariée dans une famille de la plaine, on verse la somme moyenne de 170 yuans ; cette somme atteint les 800 yuans pour marier une fille dans la montagne. Les femmes y sont rares, personne n'a envie d'y aller. Les parents s'associent avec des « spécialistes » qui, moyennant une dizaine de yuans, négocieront le mariage avec les gens de la montagne et se chargeront d'enlever la jeune fille avec l'assentiment de ses parents[8].

En 1978, le revenu annuel moyen d'un paysan étant de 60 yuans[9], le coût de pareils mariages est trop élevé pour un seul individu. Un jeune homme doit donc compter sur l'appui financier de sa famille. Dès l'adolescence, les parents lui fourniront du matériel pour se bâtir une maison. Ils contribueront pour une grande part à l'achat des biens nécessaires au mariage. S'il y a endettement, c'est de celui de toute la famille qu'il s'agit et non d'une seule personne. Ceci ne fait que confirmer la famille dans son caractère d'unité de consommation, et laisse la porte ouverte au jeu d'influence des parents sur leurs enfants.

La cérémonie du mariage, occasion de festivités et de dépenses extravagantes est aussi critiquée. Alors qu'on encourage les cérémonies simples, auxquelles les mariés se rendent à pied ou à bicyclette et où les intimes s'amusent en buvant du thé et en suçant des sucreries[10], le mariage est pour certains l'occasion de montrer leur bonne fortune et d'étaler leur statut social. Dans un village, « lorsqu'une famille célèbre un mariage, le village entier mange pendant 2 jours, autour de 25 tables de 8 personnes. Si l'on calcule que chacun consomme 3 jin de céréales par 2 jours, cela nous fait 600 jin de céréales pour un seul mariage[11] ». Le même phénomène se produit en milieu urbain. Aux jours fériés tel le 1er octobre, dates privilégiées pour les mariages, il est à peu près impossible pour des particuliers de manger au restaurant, toutes les salles étant louées pour célébrer des mariages. À Nankin, il en coûte en moyenne 50 yuans par table, à raison d'une dizaine de tables par groupe, près d'un mois de salaire pour un ouvrier moyen. On fait état de véritables processions : « Le jour de leur mariage, parents et amis forment une longue file derrière les mariés, portant télévision, magnétophones et hauts-parleurs. À l'arrière, des bicyclettes chargées de valises en cuir et d'autres paquets enveloppés. Ils marchent lentement le long des rues, faisant étalage du luxe et de la richesse du jeune couple [12]. » Coutumes traditionnelles autrefois réservées aux plus riches, elles sont maintenant assaisonnées de « modernisme » et adoptées par les ouvriers qui en ont enfin les moyens. Pour une mère endettée par les dépenses extravagantes qu'elle a elle-même encourues pour offrir à son fils un beau mariage, c'est une revanche sur l'ancienne société qui lui avait dénié le droit de choisir son conjoint [13]. L'hédonisme, si vertement critiqué durant la Révolution culturelle, réapparaît aussitôt que les contrôles politiques et judiciaires s'affaiblissent. Dès lors, la presse s'efforce de dénoncer de telles pratiques en se répandant en histoires d'endettement et de misère, résultat inévitable de cet étalage ostentatoire de richesses pour des gens qui n'en ont pas les moyens. Certes, les citoyens ont bien raison d'aspirer à une vie matérielle meilleure, mais les nouvelles politiques de développement des industries de consommation ne signifient pas que l'on doive abandonner la frugalité nécessaire au développement de l'économie nationale [14].

Par ailleurs, on ne condamne pas toujours entièrement le principe des cadeaux de mariage. On concède que la persistance de cette coutume, transformée par les développements historiques récents, n'est pas foncièrement à rejeter à condition qu'elle reste dans les limites de la raison :

> Dans l'ancienne société, la famille de l'homme offrait un présent de noces en échange de la dot que rapporterait la mariée. Aujourd'hui, c'est surtout la famille de l'homme qui paie les cadeaux. Cela est dû aux changements intervenus dans le statut de la femme. Dans le passé, quand la femme n'avait ni personnalité indépendante ni conditions économiques propres, sa dot servait à élever sa position dans la famille du mari (surtout quand plusieurs générations vivaient sous le même toit). Aujourd'hui comme la femme entre dans la belle-famille en tant que travailleuse indépendante et membre égal en droit aux autres, les présents en espèce et en nature représentent en quelque sorte un « dédommagement » à sa famille naturelle. D'autre part, vu l'instabilité de la vie paysanne, la femme a raison de demander au futur mari de se procurer les articles nécessaires à la vie quotidienne du nouveau foyer. Cependant, lorsque cette demande dépasse certaines limites, elle crée des difficultés non négligeables pour l'homme [15].

En fait, ce que l'on critique surtout, ce sont les empêchements au mariage dus aux raisons économiques ou le chantage financier exercé par la famille pour forcer des mariages arrangés. Cependant, tous ne sont pas d'avis de tolérer cet échange à sens unique de cadeaux. Que chaque fiancé participe au futur ménage, voilà l'idéal, autrement la femme risque de rester une « marchandise » vendue par ses parents, ou qui se met elle-même aux enchères.

Si le mariage mercantile est plutôt caractéristique du milieu rural, le mariage mercantile déguisé se retrouve aussi bien en ville qu'à la campagne. Essentiellement semblables, ces deux types sont cependant dissociés par la presse en ce qui a trait à leur fondement idéologique. En effet, le mariage purement mercantile est le plus souvent associé à l'influence de la mentalité féodale. Quant au mariage mercantile déguisé, il serait au contraire le produit de l'idéologie bourgeoise. Les familles n'y exigent pas le paiement d'un véritable prix de la fiancée. Il n'est pas question de contrat, ou d'entente à honorer. Cependant, on ne manque pas de vérifier le « pedigree » du futur fiancé et, à la place de paiement en argent, on requiert des « conditions » de base. À Shanghaï et dans plusieurs autres grandes villes, les journaux locaux critiquent abondamment ces jeunes filles qui, à la recherche d'un mari, n'en ont pas moins une liste pleine d'exigences [16]. *San lun, yi xiang*, littéralement « les trois roues et l'objet qui fait du bruit », ont été maintes fois tournés en ridicule par les caricatures. Il s'agit des exigences minimales d'une jeune citadine envers son fiancé : qu'il soit capable de lui offrir une montre, une bicyclette et une machine à coudre (les trois roues) et une radio. Selon le niveau de vie ou la classe sociale, les autres exigences iront de l'ameublement complet à la télévision couleur. Une jeune femme raconte :

> J'enviais la vie des employés et ouvriers des villes ; être bien habillée, habiter dans un immeuble, s'offrir une

montre, se promener dans les parcs, c'était ça le vrai bonheur. Plus tard, quand tout espoir d'aller en ville s'éteignit, je me dis que même si je devais rencontrer quelqu'un de la campagne, il ne faudrait pas faire pauvre, mais avoir un peu d'éclat. Désormais, quel que soit l'entremetteur, j'exposais d'abord mes demandes en vêtements et autres biens matériels, sans m'intéresser au comportement politique et à l'attitude au travail du jeune homme. Mon fiancé est un membre de la Ligue de la jeunesse communiste (LJC) qui jouit du respect des masses. Je le respecte profondément ; cependant, comme il est un paysan ordinaire et que sa famille est nombreuse, je tenais fermement à ce que mes « conditions » soient respectées. Il lui fallait fournir un minimum de 1 000 yuans dans des délais limités. S'il ne les respectait pas, s'il était en retard de quelques jours, le mariage était annulé. [...] Mes demandes excessives forcèrent mon mari à s'inquiéter toute la journée et à s'ingénier à trouver toujours plus d'argent. Toute la famille se serrait la ceinture [...] et on répugnait même à dépenser pour les médicaments de ma belle-mère malade. La famille était endettée jusqu'au cou. À cause de cela, longtemps après la cérémonie, les relations dans notre couple furent loin d'être bonnes et l'atmosphère familiale en était une de chicanes constantes [17].

Cette lettre, parmi tant d'autres témoignages, reflète une tendance importante à l'heure actuelle. Les journaux de femmes et de jeunes abondent en nouvelles décrivant systématiquement l'inévitable résultat malheureux des mariages contractés sur la base de l'intérêt matériel [18]. Ces effets négatifs, la presse les détaille comme suit :

1. Le mariage mercantile porte préjudice aux intérêts vitaux et immédiats des femmes et fait obstacle à leur émancipation. Le mercantilisme fait des femmes des marchandises et, de ce fait, elles en sont les premières affectées. Étant assimilées à un produit commercial, elles perdent leur caractère indépendant. Ceci est le propre des sociétés fondées sur la propriété privée, où tout individu a « un prix, une valeur marchande ». Que ce soient les femmes elles-mêmes, ou leur famille naturelle, qui contractent de tels marchés, les femmes en seront toujours victimes, car elles seront considérées comme un objet dûment acquis et que l'on peut traiter ou maltraiter à loisir. Pressions morales, brutalités physiques, mépris de la belle-mère et du mari, « avec la subsistance des mariages arrangés et mercantiles, les manifestations d'oppression et d'asservissement envers les femmes n'ont pas encore été éliminées [18] ».

2. Les dépenses fastueuses et extravagantes provoquent des difficultés ultérieures pour le couple. L'achat des cadeaux de fiançailles et la réception de mariage enfreignent les principes de diligence et d'économie dans la construction nationale et la tenue de la famille. De plus, ils mènent à l'endettement.

3. Les mariages contractés sur une base mercantile corrompent la morale et l'idéologie. La recherche des biens matériels prend le pas sur celle du bien-être collectif. On cite le cas du chef d'une équipe de production qui, pour marier son fils, entreprend à la dérobée de castrer les six truies de l'équipe pour les engraisser et les revendre à prix élevé et en tirer un profit « scandaleux [19] ». De plus, ces coutumes mettent en

danger l'harmonie des relations familiales et créent des tendances sociales « malsaines ». « Maris et femmes partagent le même lit mais rêvent de choses différentes » (*tong chuan yi meng*) ; les questions d'argent provoquent des querelles ouvertes et des complots entre la belle-mère et sa bru, les femmes des frères, etc. Les mésententes au sein de la famille risquent d'influencer directement leur attitude au travail, en plus de générer des conflits qui pourraient déborder les cadres de la famille. Les contradictions peuvent s'antagoniser et mettre en danger la sécurité des personnes concernées. De manière générale, cela influence l'unité au sein du peuple et génère des comportements contraires à l'intérêt du pays.

4. Enfin, le mercantilisme enfreint la loi sur le mariage, ce qui n'est pas peu dire dans un contexte où, après la « justice expéditive » de la Révolution culturelle, le PCC et le gouvernement tentent de réintroduire des principes de légalité dans l'exercice du pouvoir et la solution des contradictions sociales. Le mercantilisme fait obstacle à l'autonomie du mariage, il nuit à la liberté du divorce (la séparation est plus difficile quand il faut rembourser les cadeaux) et décourage la jeunesse d'agir conformément aux clauses de la loi.

Qu'il soit question de la condition des femmes, des difficultés maritales, de la mésentente familiale, du déclin de la morale socialiste ou du non-respect des lois, le mariage mercantile et ses effets prend ses racines dans la tradition qui veut que le lignage l'emporte sur l'individu, et que l'autorité patriarcale du chef de famille l'emporte sur la volonté des enfants. Il est en cela intimement lié au mariage coercitif. En effet, même si la presse fait une distinction entre mariage mercantile et mariage arrangé coercitif, les deux termes ne constituent bien souvent que deux aspects différents d'une même réalité.

Coercition dans le choix du conjoint : *baoban hunyin*

L'organisation des campagnes chinoises, fondée sur les brigades de production et les équipes qui correspondent grosso modo aux villages naturels, ne favorise guère les contacts personnels entre les jeunes. Au sein d'un même village, les habitants portant souvent le même nom de famille (*xing*), la coutume prohibe les mariages. Les jeunes gens ont donc rarement l'occasion de se rencontrer, encore moins de se trouver eux-mêmes un ou une fiancé(e). La famille utilise le plus souvent les services d'un intermédiaire pour entrer en contact avec des familles des environs susceptibles de satisfaire aux conditions de base. La presse chinoise identifie le plus souvent ces intermédiaires comme des membres de la famille, des collatéraux ou des amis. Elle fait cependant quelquefois référence aux « remerciements à l'entremetteuse » (*xie meiren*) qui constituent en fait le règlement de ses services. Si la presse officielle ne fait pas allusion directement aux entremetteuses, de jeunes Chinois en parlent comme d'une évidence. D'après eux, le jour du mariage, l'entremetteuse reçoit une somme variant entre 15 et 30 yuans pour ses services ; et à la naissance du premier enfant, on lui offrira encore quelques « récompenses [20] ».

Si les deux parties pressenties se montrent intéressées, on organise une rencontre entre les deux familles. Les parents de la fille vont d'abord voir ceux du garçon pour se rendre compte de leur niveau économique et examiner le futur gendre. Si tout est à la satisfaction de chacun, on organise une rencontre entre les deux jeunes gens, ou l'on emmène la jeune fille à un endroit convenu d'où son fiancé pourra l'examiner pour ensuite donner son accord, s'il est satisfait. La jeune fille n'a souvent aucune possibilité de refuser le jeune homme. Elle est toujours en droit légal de le faire, mais ses chances de se marier diminuent avec le nombre de rencontres avortées. « Tout le monde pense que, pour être sérieux, un mariage doit se faire par une entremetteuse », et si la jeune fille refuse, même avec le soutien de la commune, elle devra affronter le mépris et les quolibets du village [21].

En milieu urbain, les choses se passent souvent de façon semblable. Si les occasions de rencontrer et de se choisir soi-même un ou une fiancé(e) sont plus élevées à cause de la plus grande mobilité des citadins, beaucoup de mariages sont cependant le fruit des *jieshao* ou présentations. Des amis, le frère aîné, ou les parents, organisent des rencontres dans les parcs ou à la maison. Plus le candidat vieillit, plus on s'active autour de lui. C'est à qui trouvera le correspondant idéal. Dans le milieu universitaire où j'ai vécu trois ans, les quelques mois qui précèdent la graduation sont l'occasion d'une recrudescence des activités sociales ; les futurs diplômés sont sollicités de tous côtés pour rencontrer tel ou tel parti [22]. Il n'est pas rare d'entendre les étudiants se plaindre du nombre de présentations prévues par leurs parents pour le dimanche.

Aux yeux du PCC et de la loi, le mariage idéal est le mariage d'amour. Le mariage arrangé tel que décrit plus haut constitue un mal nécessaire. Mais la forme de mariage arrangé qui est critiquée dans la presse chinoise, c'est celle qui implique la coercition. La plupart des cas rapportés dans les années 1978-1979 font état de pressions exercées par les parents, en particulier sur les filles. Ces pressions vont des menaces aux brutalités physiques, en passant par le chantage. Une fille de pêcheurs s'oppose à ce que sa mère organise des fiançailles alors qu'elle n'a que 21 ans ; la mère l'empêche de participer à toute activité sociale ou politique [23]. Une autre paysanne, Bi Yujian, veut se marier avec un paysan d'une commune voisine ; son père veut la marier avec un ouvrier pour qu'elle puisse aller vivre en ville. Devant la résistance de la fille, le père exige 400 yuans en cadeau de mariage [24]. Chang Cuiying est une paysanne du comté de Dan, province du Shandong. Elle est à peine âgée de 16 ans, mais son père, pressé de marier son fils, la promet en mariage à Zong Fengmei, 30 ans. Ce dernier accepte de payer 170 yuans, d'acheter une bicyclette et pour 100 yuans de vêtements comme premier « versement » ; la machine à coudre et la maison de trois travées pourront attendre encore un peu. Avec la complicité du comptable et du responsable des mariages de la brigade, le père fait passer sa fille comme ayant 23 ans et la marie. Incapable d'accepter le mariage,

91

Cuiying s'enfuit à Jinan et se jette sous un autobus d'où elle est sauvée in extremis [25].

L'affaire Gao Yanfang, qui fait les manchettes de *Femmes de Chine* durant plusieurs mois, se situe à l'extrême du système. Graduée de l'école secondaire supérieure, Gao Yanfang est une paysanne du comté de Pingxiang, province du Hebei. Élevée par sa tante, elle retourne chez son père et sa belle-mère à l'âge de 22 ans, car son père a décidé de la marier. Il lui présente un jeune homme dont elle ne tarde pas à tomber amoureuse. Mais son père change d'idée et rompt les fiançailles. Comme Gao Yanfang n'est pas d'accord, son père et sa belle-mère décident en cachette de la vendre à Wang Binglin, soldat démobilisé d'une brigade des environs. Les négociations se font avec les services d'une entremetteuse. À 23 ans, Gao Yanfang est donc vendue à Wang pour la somme de 1 000 yuans. Elle est emmenée de force au village de Wang. Malgré ses cris et protestations et bien que plusieurs membres du comité du PCC de la commune soient présents, on l'oblige, sous la menace, à signer le contrat de mariage. Aucun des cadres qui assistent à la scène ne lève le petit doigt pour empêcher la conclusion de ce mariage illégal, puisqu'il enfreint la liberté de choix. Gao Yanfang décide de s'enfuir, est reprise, s'enfuit de nouveau et vagabonde pendant plus de six mois. Elle en vient à demander le divorce au tribunal du comté, divorce qui lui est refusé sous prétexte qu'il lui manque une lettre de recommandation de la commune de son mari. À la commune, on lui dit de ne pas s'en faire, que les cadres l'aideront à résoudre le problème. Wang survient avec sa soeur et emmène Gao

Yanfang de force. C'est l'heure du dîner et tous les cadres sont présents, mais personne n'intervient : *Jiali de shi*, c'est une affaire de famille. Gao Yanfang est séquestrée dans la maison de son mari et battue à plusieurs reprises par ce dernier, des membres de sa famille et des amis. Elle est grièvement blessée et ne peut plus bouger ses jambes. Elle est finalement libérée par un policier ayant eu vent de la bagarre et emmenée à l'hôpital. Une enquête révèle que Wang a déboursé 1 100 yuans dont 900 sont allés aux parents et 200 aux entremetteurs. Mais il faudra attendre plusieurs mois avant que des sanctions soient prises contre les coupables [26].

L'affaire Gao Yanfang est typique du système matrimonial traditionnel, où la « volonté des parents et la parole de l'entremetteuse » font autorité et où le mariage de « raison » constitue la règle. Elle met en lumière l'essence coercitive de l'autorité patriarcale qui s'exprime ouvertement au moindre défi. Le tort de Gao Yanfang a été de ne pas se plier aux projets maritaux de ses parents et de chercher appui auprès de tierces personnes, même si celles-ci lui sont apparentées. L'attitude des parents est aussi typique de la conception traditionnelle du statut de la femme. Après avoir conclu leur marché avec la famille Wang, ils considèrent que tout conflit surgissant entre leur fille et la belle-famille n'est plus de leur ressort et renvoient la jeune fille régler ses problèmes au sein de sa « nouvelle » famille. De même l'attitude du mari est profondément enracinée dans une vision des plus chauvines des rapports entre époux. Il considère que l'acquisition financière de sa femme lui donne tout pouvoir sur celle-ci ; comme le dit la tradition, « la femme mariée est comme le cheval qu'on achète, on peut la monter et la battre à volonté ».

Si le degré extrême de violence associé à cette histoire criminelle choque, l'attitude de la bureaucratie locale est encore plus troublante. Premièrement, les cadres de la brigade et de la commune n'ont pas jugé bon d'intervenir activement devant une situation ouvertement illégale et anti-socialiste. En second lieu, le parquet populaire qui rend le premier jugement de divorce traite cette affaire criminelle comme une simple chicane de famille ; il tente de la résoudre par les méthodes de conciliation propres à la solution des causes civiles. Enfin, ce premier jugement de divorce condamne paradoxalement la vraie victime à verser 250 yuans à son agresseur pour compenser les « pertes économiques » subies par ce dernier en raison de l'annulation du mariage. Il faudra attendre que l'affaire ait pris des dimensions nationales avant que les cadres de la Fédération des femmes de Chine interviennent. L'affaire Gao Yanfang dénonce accessoirement l'attitude des cadres de tout acabit et de tout niveau. Les lecteurs de *Femmes de Chine* ne s'y trompent pas et leurs lettres de soutien à Gao Yanfang ne ménagent pas les critiques : « N'est-il pas surprenant de constater l'absence de rôle de la Fédération des femmes ? Que dans une telle affaire, ni les départements concernés, ni la Fédération ne se sentent impliqués, n'est-ce pas pousser les femmes victimes de mauvais traitements dans une impasse [27]. » L'intégrité des cadres est prise à partie : « Le pouvoir qui vous est échu du peuple doit être utilisé dans l'intérêt du peuple, et non pour vous permettre de jouer aux mandarins et de vous poser en seigneurs [28]. » Il semble bien que « les mariages mercantiles soient raisonnables et qu'il n'y ait aucun crime à maltraiter les femmes [29] ».

Si les cadres sont ainsi tenus en partie responsables du déroulement violent de cette affaire, c'est qu'ils jouent un rôle de première importance dans la mise en application des lois sociales. Lors de l'établissement du pouvoir populaire en 1949, alors que les relations familiales au sein de la moyenne bourgeoisie et de la petite-bourgeoisie intellectuelle accusaient déjà de profondes transformations, la famille rurale était toujours modelée sur le schéma traditionnel. Nous avons vu plus haut comment les politiques de transformation de l'organisation rurale depuis la réforme agraire ont contribué à saper les bases économiques de la famille. Ces réformes économiques venaient renforcer l'application de la nouvelle loi sur le mariage. Seulement, le PCC devait, conjointement, entreprendre des campagnes massives de propagande pour expliquer la teneur de la loi sur le mariage et convaincre les masses de s'y plier. Autrement, la seule promulgation de la nouvelle loi n'aurait eu aucun impact véritable sur la famille et la réforme agraire et, au lieu de stimuler la création de nouvelles relations maritales et familiales, aurait subi le contrecoup de la toute-puissance de la famille. L'intervention politique directe des cadres était donc nécessaire, pour assurer la mise en pratique du nouveau système matrimonial et prévenir les comportements déviants. Leur rôle est à la fois juridique et éducatif. La conception du travail du cadre idéal n'a pas changé depuis cette période. Celui-ci, faisant fi de ses intérêts personnels, doit jouer le rôle « d'élévateur » de la conscience des masses populaires. Il doit se sentir au sein des masses tel « un poisson dans l'eau », étant à même de détecter tout embryon d'attitudes contraires à la morale et d'y pallier illico par les méthodes démocratiques de la persuasion et de la discussion. Cependant, un cadre n'est rien d'autre qu'un individu inséré dans un contexte social donné, et les conflits d'intérêts le guettent à chaque tournant. De plus, il a à subir la pression politique de ses supérieurs et en vient souvent à se retrouver entre deux feux. Les mouvements politiques successifs lui ont montré les vertus de l'immobilisme et de la passivité. Il convient ici d'effectuer une distinction entre les divers niveaux de cadres. Selon une équation bureaucratique, qui bien que ne faisant pas l'unanimité parmi les théoriciens n'en demeure pas moins une évidence parmi le peuple, la passivité des cadres croît en vertu de leur position dans la hiérarchie [30]. Par passivité, nous entendons ici celle qui prévaut envers les masses et sous-entend un déploiement d'activité faible pour tout ce qui est relatif à l'intérêt « personnel [31] ». Tout ce qui pourrait amener des troubles doit donc, en vertu de l'éthique bureaucratique non officielle, être évité. Il en est de même pour les questions relatives aux problèmes familiaux : le cadre hésitera à s'ingérer dans les affaires familiales, à moins qu'il ne s'agisse d'un problème politique impératif. J'ai été témoin d'un bon nombre de bagarres de rues au cours desquelles la police justifiait sa non-intervention par la phrase passe-partout : « C'est une affaire de famille » (*jiali de shi*). Cette attitude, en temps normal socialement tolérable et tolérée, provoque de profonds remous lorsqu'elle mène à des situations du type de l'affaire Gao Yan-fang. Cette dernière est symptomatique du profond enracinement des traditions féodales en Chine et des trop faibles traditions démocratiques [32]. Si, au niveau du comté comme du village, les cadres se comportent en rois et maîtres, le peuple peut-il prétendre à la démo-cratie ? Les femmes qui rencontrent des problèmes, comme Gao Yanfang, ne souffrent-elles pas encore plus de cette absence de démocratie ? Ainsi, les traditions féodales sont encore vivantes, non seulement au niveau du mariage, mais aussi au niveau des cadres qui ont comme fonction de faire respecter le mariage socia-liste. « Des cas comme celui de Gao Yanfang, il y en a beaucoup et de plus graves dans notre société, on n'en a pas fait le compte encore. Bien qu'on ne puisse les considérer comme généralisés, ils n'en sont néan-moins pas si rares [33]. »

Entre l'amour et la raison

Dans un pays où le recensement de la population constitue une tâche gigantesque, les statistiques sur le mariage sont fragmentaires. Ici et là, des enquêtes locales présentent des pourcentages et des chiffres par-tiels. Par exemple, on indique que sur 14 586 maria-ges contractés en 1979, 15 % sont des mariages d'amour, 75 % des mariages librement consentis et 10 % des mariages arrangés unilatéralement par les parents [34]. Cela se passe dans deux districts de la pro-vince d'Anhui.

Les mariages d'amour, dit la presse chinoise, sont courants dans les villes ; en milieu rural, on les retrouve dans les régions « culturellement développées » et au sein des unités de production industrielles relevant des communes et des brigades. Par ailleurs, les mariages librement consentis où s'allient « l'approbation des parents, le recours à un entremetteur ou à une entremetteuse et le consentement des jeunes gens » sont prépondérants en milieu rural. Quant aux mariages arbitrairement organisés par les parents, ils se retrouvent surtout dans les régions montagneuses pauvres et arriérées [35].

Ainsi les mariages librement consentis constituent la majorité parmi les contrats enregistrés ; on ne fait cependant pas de distinction entre les mariages librement consentis entre jeunes se connaissant relativement bien et les mariages librement consentis entre jeunes ne se connaissant pratiquement pas. Cette distinction est cependant d'une importance majeure [36]. En effet, le mariage traditionnel, organisé sous la domination parentale, peut être accepté par les deux jeunes gens sans que ceux-ci soulèvent la question du droit à la liberté de mariage. La distinction entre les mariages librement consentis et les mariages arbitrairement décidés par les parents ne s'établit que sur la base de la résistance de l'un ou des deux futurs conjoints à la volonté des parents. À la limite, un mariage librement consenti peut n'être rien d'autre qu'un mariage arrangé traditionnel subi passivement par les futurs conjoints. Et ceux que la presse chinoise considère comme des mariages arbitraires peuvent, paradoxalement, être aussi qualifiés de progressistes en ce sens que la révélation de l'arbitraire parental est amenée par la résistance active de l'un ou des deux conjoints.

Alors qu'à la campagne, l'existence de villages naturels, organisés en unités de production indépendantes, explique le manque de contacts personnels entre jeunes des deux sexes par des barrières organisationnelles, on peut se demander pourquoi le même problème se retrouve en milieu urbain. Alors qu'hommes et femmes travaillent indifféremment dans les mêmes usines, l'absence de relations sociales normales entre les employés des deux sexes ne favorise guère la formation de liens amoureux indépendamment de toute intervention extérieure. Pour s'en convaincre, on n'a qu'à visiter la cantine d'une usine ou d'une école ; si les tables ne sont pas assignées à des groupes déterminés, les jeunes filles s'assoient naturellement entre filles et les garçons entre garçons. Dès les premières années de l'école primaire, les filles et les garçons forment des groupes distincts qui n'entretiennent pas de rapports sociaux autres que ceux des activités scolaires ou politiques organisées. Les jeunes grandissent en groupes divisés selon le sexe ; plus ils vieillissent, plus les contacts entre sexes sont socialement découragés. Ainsi, une jeune fille qui entretient des relations d'amitié avec plusieurs garçons se trouvera toujours en marge de son groupe de référence féminin. À moins que ces contacts ne soient justifiés par une activité politique ou sociale quelconque, les rumeurs ne tardent pas à se multiplier et la réputation de la jeune fille peut être mise en danger [37]. Si le mariage d'amour constitue l'idéal, les jeunes se montrent par contre relativement timides et les histoires d'amour sont gardées secrètes tant que les relations n'ont pas reçu la sanction officielle des fiançailles. Quand celles-ci sont déclarées, il devient possible de « parler d'amour » (*tan lianaï*) ouvertement. Étant donné cet état de fait, il n'est pas surprenant de voir les unités mêmes prendre en main la question du mariage de leurs employés. Parents, amis, confrères de travail, tous se chargent de la recherche du conjoint idéal. Certains comités de la LJC ont entrepris de mettre sur pied des agences matrimoniales, comme celle de la rue du Xinjiang à Shanghaï. L'agence du Bureau des transports maritimes de Shanghaï avait déjà reçu plus de 2 000 lettres d'inscription moins de trois mois après sa fondation [38]. Ces agences, souvent mises sur pied dans un but lucratif et afin de créer des emplois pour les jeunes chômeurs, n'en répondent pas moins à un besoin pressant de la jeunesse.

Il ressort de la lecture des lettres et des articles publiés dans *Femmes de Chine* et *Jeunesse de Chine* que le mariage, même s'il peut être qualifié de mariage d'amour, est avant tout une question éminemment pratique. En effet, le mariage d'amour n'équivaut pas nécessairement à un lien romantique entre jeunes gens. Des considérations autant politiques qu'économiques entrent en jeu. Lorsqu'une jeune fille pense à se marier, elle cherche un fiancé dont le travail et la réputation l'assureront du niveau de vie le plus élevé possible. Les personnes peu sûres politiquement, comme les parias droitistes, sont donc à éviter [39]. Seuls quelques modèles cités par la presse fondent leur mariage sur la « pureté de leur idéal commun ». En fin de compte, le mariage est souvent traité comme une affaire. Les partenaires ont changé ; si les parents n'ont plus le pouvoir légal d'intervenir directement, les jeunes n'en fondent pas moins souvent leurs exigences maritales sur les mêmes bases que leurs parents. Il faut noter l'inévitabilité du mariage ; rares sont les personnes qui décident de rester célibataires faute d'avoir trouvé le partenaire idéal. Les personnes de plus de trente ans qui n'ont pas encore trouvé à se marier, se retrouvent souvent en marge de la société [40].

Bien que le mariage « librement consenti » soit le plus répandu dans les diverses couches de la société chinoise, la campagne contre les résurgences de comportements féodaux ne doit pas être considérée comme de moindre importance. L'ampleur et le sérieux de cette campagne révèlent un malaise que l'on peut certes relier aux séquelles de la Révolution culturelle, mais qui n'entretient pas nécessairement avec elle des relations de cause à effet. Le mariage « librement consenti » présente les mêmes caractéristiques de contrôle patriarcal accompagnées de saveur mercantiliste ; on peut se demander si la différence entre ce dernier et les excès dénoncés dans la presse est aussi grande qu'on voudrait bien le croire. En effet, les progrès et les reculs dans la transformation de la famille et du mariage constituent des aspects différents d'une même réalité, cette dernière n'étant pas le modèle traditionnel ou le modèle actuel, mais bien la famille réelle, produit de la société chinoise actuelle. Nous sommes en présence d'une entité sociale, issue de la tradition, mais qui se modèle selon les rapports sociaux, politiques et économiques de la société socialiste et l'influence à son tour. Le mariage, étape initiale dans la formation de la famille et l'organisation de cette dernière, est lié à l'organisation sociale globale par une relation de nécessité et ne peut exister en dehors d'elle. Toute analyse des vestiges du féodalisme dans la famille doit donc être traitée comme pouvant être éclairée par la base sociale et non comme des accrocs idéologiques étrangers à celle-ci.

Dans son aspect mercantile, comme dans son aspect coercitif, l'influence de la tradition dans le mariage met en cause trois parties : les femmes, la jeunesse et l'État représenté par les lois et le système administratif chargé de les appliquer. Théoriquement, ces trois parties sont, dans leurs intérêts spécifiques, en contradiction avec l'aspect dominant de la famille traditionnelle, le patriarcat. En pratique, elles doivent s'en accommoder ou s'y opposer selon les situations concrètes, et les nécessités extérieures à la famille. Dans le prochain chapitre, j'examinerai le rôle de ces trois parties dans leurs relations avec l'autorité patriarcale et leurs relations entre elles.

4
Famille et société

Les forces de la tradition semblent toujours vivaces en République populaire de Chine et règlent encore une bonne partie des attitudes de la population, quelles que soient les couches sociales. Certes les institutions du mariage et de la famille ont subi de profondes transformations, tant du point de vue légal que social. Les nouvelles attitudes sont continuellement renforcées par la propagande et l'idéologie officielle du régime populaire. L'ensemble des mesures prises à l'égard de la famille et du mariage par le gouvernement chinois tente de couper à la base l'influence du modèle traditionnel-féodal : affaiblissement du pouvoir économique de l'unité familiale, participation accrue des femmes au travail et aux décisions politiques, indépendance économique des membres de la famille et protection légale des droits individuels de chacun.

Malgré cela, trente ans après l'établissement du pouvoir populaire, les caractéristiques importantes du modèle traditionnel subsistent. On peut y voir le constat d'un héritage millénaire. En effet, trente années, ce n'est pas bien long pour une société. Les premiers quinze ans de la jeune république ont été consacrés à la mise sur pied et la consolidation d'un nouveau type d'organisation sociale. Mais une fois les communes populaires, les grandes unités industrielles, implantées comme parties intégrantes de la nouvelle société, la Révolution culturelle est venue tout chambarder. Lutte contre le capitalisme, le révisionnisme et tout ce qui est ancien, la Révolution culturelle n'aura semble-t-il pas eu d'influence positive sur la société. En effet, on la dénonce maintenant comme l'une des périodes les plus noires et les plus féodales de l'histoire contemporaine de la Chine. Dans son sillage, on retrouve la tradition et les comportements issus du système patriarcal, résurgences soudaines et importantes.

L'explication de ce phénomène se situe à deux niveaux ; à la surface, l'analyse ponctuelle des raisons de la résurgence de ces coutumes et attitudes ; plus profondément, le pourquoi de la viabilité des dits comportements en régime socialiste.

Viabilité des comportements féodaux

De 1977 à 1980, soit les premières années de critique progressive de la Révolution culturelle, il n'est pas un article traitant de problèmes sociaux qui ne mentionne le « sabotage » de la « bande des quatre » et de Lin Biao, pas un discours qui ne s'ouvre sans la mention de leurs noirs desseins. Le terme consacré est *ganrao pohuai*, c'est-à-dire perturbations dues aux sabotages (de ces tristes personnages). Automatiquement accolé à leurs noms, il suggère à la fois la violence et l'instabilité sociale, produits inévitables des luttes de pouvoir au sommet et de leur pendant à la base.

Le mariage et la famille n'échappent pas à la règle. Toute tentative d'explication de la réapparition des coutumes traditionnelles et des attitudes féodales commence par « À cause des perturbations dues... » ou « Au temps des perturbations... ». Suit la description des effets de ces perturbations : baisse de la morale socialiste, poursuite des biens matériels et régression générale dans tous les domaines de la vie sociale. Au-delà du stéréotype, il y a cependant la réalité de l'après-Révolution culturelle.

C'est une caractéristique de la Révolution culturelle que d'avoir, pendant plusieurs années, amoindri le pouvoir de l'État sur l'ensemble des citoyens. Les fermetures d'écoles, les grèves et les combats armés en témoignent. Et si l'État a peu à peu repris le contrôle dans les années 70, ce ne fut que dans un processus de longue haleine comme le prouve un avis posté dans la ville de Kaifeng en 1977 ordonnant aux habitants de remettre aux autorités policières les armes saisies lors des combats de la Révolution culturelle. Cet affaiblissement de l'autorité centrale ne résulta pas en une décentralisation rationnelle mais plutôt en un régionalisme dissident. Dans les petites villes et les chefs-lieux de comté, des individus ont profité du relâchement des contrôles de l'État pour travailler à se créer leur propre zone de pouvoir. Ils sont cadres, soldats ou simples intrigants, mais tous utilisent leurs relations et leur famille pour mettre sur pied leur petit royaume [1]. Usant de force et de corruption, ils s'appuient sur leur position politique et sociale pour « s'en mettre plein les poches ». L'État a peu de moyens pour endiguer cette vague de « despotes locaux » (*tu hangdi*) qui falsifient impôts et redevances. Les populations locales, directement menacées par ces nouveaux politiciens, se taisent ou s'en accommodent dans la mesure de leurs moyens. De plus, tout ce monde se réclame des mouvements politiques et des dernières décisions du Comité central qui les rendent quasi invulnérables dans un pays aussi vaste que la Chine, où les communications ne sont dans l'ensemble pas encore très développées. Quant aux cadres du PCC, ils sont, dit-on maintenant, ou bien trop aveugles pour voir, ou bien ce sont tout simplement les mêmes despotes ayant gagné leurs galons d'honnêtes révolutionnaires. Quant aux communistes clairvoyants, ils n'ont que deux choix : se taire ou parler et risquer parfois leur vie comme Zhang Zhixin [2].

Le phénomène des despotes locaux, s'il est plutôt caractéristique de la campagne, ne s'en retrouve pas moins à tous les échelons en milieu urbain [3]. Il témoigne à la fois de la perte du pouvoir par l'État et de l'affaiblissement des structures sociales qu'il a mises en place pour organiser la population.

Les lieux de travail ou d'éducation sont en Chine désignés sous le terme générique d'« unité » (*danwei*). C'est la *danwei*, usine, atelier, école, etc., qui a pour rôle d'encadrer la population dans les moindres détails. Elle émet les coupons de rationnement, fixe les salaires ; elle règle les conflits parmi ses employés et dans leur famille ; elle leur fournit souvent logement, garderie, clinique et autres services sociaux. Enfin, par l'intermédiaire de sa branche du PCC, elle explique les politiques du gouvernement et se charge de tout travail politique. La vie professionnelle de ses membres et une partie de leur vie familiale est ainsi organisée au niveau de l'État. Les comités de rue, également contrôlés par des activistes, se chargent du reste. La *danwei* trouve sa contrepartie rurale dans la brigade et la commune. Ces dernières offrent les mêmes services et ont le même rôle d'encadrement politique.

Le relâchement du centralisme et la montée du régionalisme représenté par les despotes locaux font que les unités urbaines et rurales perdent, d'une part, leur fonction organisatrice et, d'autre part, celle de contrôle politique. Ne fonctionnant plus que comme pourvoyeurs de coupons, elles ont de plus en plus de mal à faire le lien entre les individus et l'État. Du point de vue des individus, ces contrôles étant relâchés, ils se retournent naturellement vers l'unité sociale traditionnelle, la famille. Celle-ci devient le dernier retranchement de la solidarité sociale, le factionalisme régnant en maître dans les unités. En milieu urbain, elle s'occupe de la socialisation des enfants laissés inoccupés par la fermeture des écoles. À la campagne, elle se renforce comme unité de consommation et quelquefois comme unité de production [4].

Il arrive alors la situation suivante : les politiciens locaux s'appuient sur leur famille et leurs relations parentales pour asseoir leur pouvoir. En retour, ils se doivent de les récompenser car la famille, dans son esprit traditionnel, ne tolère pas qu'un de ses membres jouisse paisiblement de sa fortune ou des avantages de son poste sans que les autres membres y participent. D'autre part, la population, coupée de l'État, en revient à des relations familiales plus étroites. Ces relations sont à leur tour renforcées par la dynamique sociale animée par les despotes. L'acquisition de petites douceurs sur le marché étant presque impensable [5], on a recours aux relations ou à la famille. Il en est de même pour l'obtention d'un travail intéressant ou l'enregistrement d'un contrat de mariage douteux, décidé par les parents. C'est ce qu'on appelle le système de la porte de derrière et des relations. Grâce à lui, la famille dans toute son essence traditionnelle reprend ses droits.

Parallèlement, le PCC et le gouvernement subissent une baisse de popularité. Le désordre social engendré par les luttes de factions, la violence, gratuite aux yeux des victimes et nécessaire aux politiciens engagés dans des luttes complexes, enfin la précarité économique créée par le mouvement, tout contribue à une désaffection grandissante dans la population. Les ex-gardes rouges, envoyés se faire rééduquer à la campagne et pour la première fois confrontés à un milieu hostile, sont les plus durement touchés. La baisse de prestige du PCC s'accompagne d'une baisse de prestige de l'idéologie qu'il prône. Les vertus d'économie, de diligence, de pudeur, au profit de la nation, sont négligées au profit des vertus plus familiales d'obéissance à l'intérêt plus immédiat de son groupe. En fait, plusieurs se demandent : « À quoi sert d'être vertueux si ceux qui prônent cette vertu ne la respectent pas ? » Le décalage entre le comportement réel de certains cadres et leur idéologie ne permet plus à cette dernière de conserver ses lettres de créance auprès du peuple [6].

La désaffection du peuple pour l'État au point de vue de l'organisation sociale et sa désaffection pour l'idéologie prônée par ce même État sont les deux facteurs principaux de la recrudescence des comportements féodaux. Ceux-ci se fondent en effet sur la domination par la famille de l'organisation sociale et sur l'affaiblissement de l'idéologie dominante, sa perte de crédibilité, et son remplacement par les valeurs traditionnelles.

Il faudra cependant attendre la fin officielle et définitive de la Révolution culturelle, telle que proclamée par le PCC, pour que les médias officiels entament le sujet de ces résurgences. À en croire la plupart des articles de *Femmes de Chine* et de *Jeunesse de Chine*, celles-ci ne sont dues qu'à des conditions historiques particulières, c'est-à-dire la Révolution culturelle. En effet, la teinte fortement féodale que prenait l'autoritarisme des « quatre » et de Lin Biao (déjà dénoncée par la presse non officielle en 1974) vient chapeauter l'ensemble du phénomène. Mais il serait faux de croire que la féodalité avait, à l'aube de la Révolution culturelle, cessé d'influencer le tissu social. S'il y a eu apparence de réapparition, c'est que plusieurs des comportements traditionnels ne pouvaient s'exprimer socialement que dans une moindre mesure, étant soumis à un contrôle social, politique et judiciaire intense. Et même au cours de la Révolution culturelle, beaucoup de ces comportements ne pouvaient s'exprimer dans leur pleine essence mais de façon déguisée et sous le couvert de l'attitude la plus révolutionnaire [7]. Ils n'étaient jamais publicisés. Le fait que, de l'avis de nombreux observateurs, ces comportements aient paradoxalement surgi en masse, après la chute de la « bande des quatre », prouve qu'ils demeuraient toujours en filigrane, prêts à ressurgir au moindre relâchement des contrôles sociaux.

C'est donc à la faveur des bouleversements provoqués par la Révolution culturelle que la tradition a repris des forces. Toujours présente mais affaiblie, elle profite de la confusion idéologique qui règne pour reprendre du terrain. La persistance de son emprise sur la société chinoise n'est plus à démontrer [8]. Mais les causes de cette durabilité sont multiples. On invoque presque automatiquement la continuité culturelle. C'est l'évidence même que la tradition séculaire chinoise ne peut être endiguée rapidement. L'échec de la Révolution culturelle en est un exemple éloquent. Il démontre aussi, par la négative, que la vivacité de la tradition ne repose pas uniquement sur l'idéologie mais qu'elle se fonde sur des bases très matérielles. En transposant toute lutte contre la tradition sur le plan idéologique, la Révolution culturelle n'a fait que créer un discours révolutionnaire sans contrepartie matérielle, et dont l'effet objectif était diamétralement opposé aux buts qu'elle visait. C'est que la continuité culturelle ne fait que refléter certaines ambiguïtés de l'organisation sociale et masque, plus souvent qu'à son tour, les contradictions inhérentes à la dualité « féodalisme »– socialisme. Cette dualité se retrouve à tous les niveaux, aussi bien politiques qu'économiques, en milieu urbain comme en milieu rural. Elle s'exprime à travers toute une gamme de phénomènes reliés à l'organisation de la société et à la structure du pouvoir. Les attitudes féodales vis-à-vis du mariage et de la famille étant plus répandues en milieu rural, penchons-nous tout d'abord sur l'organisation dans les campagnes.

Organisation sociale en milieu rural

On sait comment la famille traditionnelle dominait l'organisation sociale des campagnes chinoises et comment les politiques de réforme agraire appliquées par le PCC se proposaient de détruire le pouvoir des propriétaires fonciers en même temps que de saper les bases économiques du pouvoir de la famille. Les efforts subséquents vers la collectivisation et la mise sur pied des communes populaires devaient parachever la transformation de l'organisation paysanne. En théorie, les communes devaient stimuler les paysans, leur faire dépasser leurs horizons étroits hérités de la pratique de l'économie de petite production. Dans les faits, l'implantation du système des communes a toujours été inégal. La preuve en est que des communes voisines peuvent adopter des niveaux d'organisation très différents, et que ceux-ci se modifient continuellement. Les communes populaires présentent trois niveaux définis d'organisation : l'équipe, la brigade et la commune. Et c'est selon le niveau où s'effectuent l'organisation de la production et la comptabilité que l'on jugera du degré de collectivisation de la commune. La prédominance de l'un ou de l'autre des niveaux dans une commune donnée dépend, règle générale, de son

111

degré de mécanisation et de la valeur de sa production. Une commune « riche », c'est-à-dire située dans un secteur favorable à l'agriculture, aura toutes les chances d'accumuler assez de capital pour se doter d'une infrastructure agricole élaborée. Les communes « moyennes » et « pauvres », dont la production déficiente se répartit entre les membres et l'État, ne se maintiennent qu'au strict niveau de subsistance. C'est d'ailleurs, de l'avis de plusieurs économistes chinois [9], le cas pour l'ensemble de l'économie agricole.

Ainsi, dans la grande majorité des communes chinoises, l'unité comptable de base est l'équipe qui regroupe une dizaine de familles. C'est l'équipe qui décide de la production, l'organise et répartit le produit entre ses membres. Si la brigade était le niveau d'organisation minimum recommandé depuis la Révolution culturelle, les dernières directives agricoles (1978-1979) ont préconisé l'abaissement à l'équipe. Plus qu'une décision administrative, ces directives ne font que refléter un état de fait maintenant imputable à la Révolution culturelle. En effet, dans plusieurs régions, les paysans s'étaient naturellement remis à la production en équipe, si ce n'est à la production familiale [10]. Mais ce n'est pas là un phénomène unique. L'histoire de la collectivisation nous présente une oscillation constante entre les formes traditionnelles d'organisation de la production et les formes collectivistes. Dès que la stabilité politique se désagrège ou que l'ensemble de l'économie subit des revers, la réaction classique est un retour à la tradition. Il n'est pas surprenant qu'une commune possédant un large matériel agricole, administrant des usines et dont le revenu moyen des membres se chiffre, annuellement, à quelques milliers de yuans, ne présente pas de symptômes de désagrégation. Mais quand on sait que la plus grande partie de la production agricole chinoise est avant tout manuelle, et que le quart de la population paysanne reçoit un revenu annuel inférieur à 40 yuans [11], il ne faut pas s'étonner si la tendance à la collectivisation est constamment contrecarrée par l'influence de la tradition.

À ce sujet, on doit se souvenir que si la famille n'est plus l'unité de production dans les campagnes, elle demeure l'unité de consommation. Le logement, la nourriture et l'achat de biens de consommation, tout passe par la bourse familiale. Dans un pareil contexte, c'est la richesse de la famille qui compte, et non celle des individus. Si le contexte politico-économique ne permet pas aux individus de retirer de la collectivité les mêmes avantages qu'ils tireraient de leur unique famille, il ne faut pas penser que la collectivisation est chose acquise. L'état du développement des forces productives à la campagne, où une force de travail (*laodongli*) ne produit en un an que de quoi nourrir un maximum de quatre personnes [12], ne permet pas de modifier l'équilibre délicat entre le mode collectiviste et le mode de petite production familiale, en faveur du premier. Cet équilibre sera toujours fonction du développement économique qui est encore loin d'égaler celui du milieu urbain [13].

L'organisation sociale des campagnes chinoises, fondée sur la propriété collective, ne permet pas de modifications substantielles par rapport à la tradition, modifications qui pourraient influer sur la conception même de la famille. En effet, la famille est l'unité de consommation par excellence, mais elle jouit encore d'une certaine autonomie de production avec les parcelles individuelles et les productions subsidiaires familiales (vannerie, jouets, etc.) [14]. Les revenus personnels étant très bas, les membres de la famille mettent donc leurs salaires et autres revenus en commun. Ceci implique que les nouvelles conceptions de la famille, à savoir un noyau social centré sur la conjugalité et non sur la filiation, peuvent difficilement prendre le pas sur la conception traditionnelle. La richesse de la famille est fonction du nombre de bras qu'elle possède. Les principes de contrôle des naissances y rencontrent aussi une forte opposition due en majeure partie au bas niveau de la production : plus la famille est nombreuse, plus elle a de chances d'accumuler un peu de richesse et de confort. Enfin, la préférence va aux enfants mâles et cela pour diverses raisons. D'abord, la tradition : on ne peut s'attendre à ce que l'idée prédominante de filiation masculine s'éteigne en quelque trente années. Ensuite, si la condition des femmes à la campagne a subi de profondes transformations depuis 1949, elle n'a pas encore atteint l'idéal. Les femmes, certes, travaillent dans les champs, mais le nombre moyen de points-travail qui leur est alloué est plus bas que celui des hommes et elles travaillent souvent moins, étant encore responsables de la bonne marche de la maison. Du point de vue de la richesse de la famille, il est donc encore avantageux d'avoir des garçons plutôt que des filles. La famille tend donc à s'élargir constamment.

En milieu rural, les services sociaux et communautaires sont en général sous l'égide de la collectivité,

114

c'est-à-dire que la brigade ou la commune les prennent en charge. Le nombre et la qualité de ces services sont donc fonction des surplus du collectif qui ne sont pas immenses, comme on a déjà pu le constater. Ainsi, sur le plan de l'éducation, les écoles ne sont généralisées qu'au niveau primaire. Et l'instruction qui y est dispensée atteint rarement le niveau des villes. Ceci est dû au manque de ressources locales d'une part et, d'autre part, à la réticence des jeunes diplômés à venir s'installer à la campagne. L'apprentissage des techniques agraires est d'abord le fait de l'enseignement pratique du père ou des autres membres de l'équipe. De ce fait, le père et les aînés gardent encore le contrôle sur les modalités de la production et le prestige qui leur est ainsi attaché diminue les chances de comportements indépendants de la part des jeunes quand il s'agit de questions telles que le mariage. Il est d'ailleurs intéressant de noter le nombre de jeunes cités en exemple dans *Jeunesse de Chine* pour leur audace et leur persévérance à étudier et à mettre sur pied de nouvelles techniques agricoles tout en devant défendre durement ces nouvelles idées devant la génération âgée des paysans [15].

L'organisation collective pourvoit rarement aux besoins de ses éléments improductifs. Il n'existe pour ainsi dire aucun système de pension pour les vieillards et ceux-ci doivent être pris en charge par la famille [16]. Il en va de même pour les autres membres improductifs. La virilocalité étant toujours la règle, les parents souhaiteront toujours la naissance d'un enfant mâle dont la responsabilité sera de veiller sur eux dans leur vieillesse, comme il sied à un bon fils. Il est difficile pour une famille ne comportant que des filles de trouver des gendres qui accepteront de s'installer dans la famille de leur femme ; nombre de jeunes couples désirant passer outre à ces traditions ont dû résister à la pression sociale environnante pour qui un homme qui va se marier dans la famille de sa femme n'est pas un homme [17].

À la campagne, les paysans vivent toujours à l'intérieur de leurs villages « naturels » auxquels correspondent grosso modo les équipes et les brigades. L'opinion de ses concitoyens y est toujours importante et renforcée par le contact quotidien. Ceci est cependant un fait commun à plus d'un type de société et ne constitue un facteur d'importance que pour autant qu'il peut interférer avec le travail d'éducation idéologique. Par ailleurs, l'organisation actuelle des villages se modèle souvent sur l'organisation traditionnelle, particulièrement en ce qui concerne la structure de pouvoir [18]. En effet, aux niveaux de l'équipe et de la brigade, les cadres administratifs et politiques sont souvent les membres d'une seule et même famille (je parle ici de la famille étendue). Le même phénomène se retrouve aussi au niveau de la commune. Ainsi, une des seules enquêtes ethnographiques officielles réalisée sur le terrain par un Occidental prouve, sans conteste, l'interférence des liens familiaux dans la distribution des postes de pouvoir politique et économique [19]. Pratiquement, cela signifie que la prédominance des liens familiaux est loin d'avoir été extirpée de la vie politique. Toutes les mesures ayant trait à la transformation du mariage, de la famille, etc., doivent donc être transmises à travers les canaux traditionnels, qui, de par leur nature, ne sont pas nécessairement aptes à les appliquer dans leur esprit original. Il arrive donc que ces cadres soient plus poussés à prendre en considération les intérêts du groupe parental que ceux de l'État, ou bien, que les cadres soient pressés par leur groupe familial de faire de même. En fin de compte, cela mène la plupart du temps à une application sélective et superficielle des directives centrales : s'il faut mettre sur pied un système d'enregistrement des mariages et s'assurer officiellement de leur adaptation à la loi sur le mariage, rien de plus facile et de moins vérifiable quand il s'agit de concilier les intérêts du village et ceux de l'État, si éloigné. Tant que personne ne se mêle d'opposition active, les articles de la loi sur le mariage seront respectés sur le papier mais la famille jouira toujours de sa prérogative sur les décisions effectives.

En fait, malgré son « éloignement », l'État sait bien que ses directives ne sont pas toujours appliquées consciencieusement par les cadres ruraux. Dans la mise en oeuvre de ses politiques, il tient compte des ajustements nécessaires à leur adaptation aux situations rurales concrètes. Il n'est pas question d'antagoniser la paysannerie, mais d'atteindre avec elle un modus vivendi où les intérêts des deux parties seront considérés.

La campagne chinoise est pauvre. Depuis 1949, une grande partie de la richesse de sa production a été transférée vers les centres urbains pour soutenir le développement des industries lourdes. Par ailleurs, ses méthodes d'exploitation de la terre n'ont guère changé depuis des siècles. Les bras humains y sont plus nombreux que les tracteurs. La collectivisation du travail agricole a certes amélioré un peu l'ordinaire du paysan et lui a fourni une sécurité indéniable par rapport au régime ancien des propriétaires terriens, mais l'organisation sociale collectiviste restera fragile tant que la culture d'un hectare de terre nécessitera plusieurs bras. Les forces de la tradition sont toujours vivaces, prêtes à combler les lacunes économiques et sociales des communes. De plus, au point de vue de la structure locale du pouvoir, tant administratif que politique, l'organisation actuelle se modèle sur la tradition, en ce sens que la priorité va toujours à la famille par opposition à l'État et que la première est, dans les faits, gérante des décisions du second. Ces caractéristiques de l'organisation sociale en milieu rural sont bien celles qui sont à la source des phénomènes féodaux qu'on attribue à la Révolution culturelle. Au-delà des conditions historiques particulières, elles président, jour après jour, à la reproduction des mêmes phénomènes, car elles sont elles-mêmes apparentées à la féodalité.

Organisation sociale en milieu urbain

Si l'organisation en milieu rural est incompatible avec l'application complète des principes du PCC vis-à-vis du mariage et de la famille, l'organisation urbaine semble offrir de meilleures conditions. Les politiques de croissance industrielle et de décentralisation, mises en application depuis 1949, ont grandement modifié la physionomie des villes chinoises, les transformant en bases industrielles d'importance différente. La majorité de la population urbaine est maintenant encadrée au sein d'entreprises gérées par l'État. Le niveau de vie, du point de vue des salaires (en moyenne 60 yuans/mois) comme des avantages sociaux, est beaucoup plus élevé qu'en milieu rural. Les possibilités de mobilité sociale et géographique y sont aussi plus grandes à cause de l'éducation et de la spécialisation de la production. J'ai mentionné plus haut l'importance des « unités de travail » (*danwei*) comme lieux privilégiés de rencontre entre les individus et l'État, indépendamment de la famille. Grâce à celles-ci, les individus peuvent se prévaloir de logements séparés de la maison familiale. Les pensions allouées par l'État aux ouvriers et employés à la retraite allègent le fardeau familial dans la dispensation de la sécurité matérielle pour ses membres improductifs. L'indépendance économique des femmes et de la jeunesse permet un affaiblissement réel du contrôle de l'autorité patriarcale. De plus, les jeunes ont de plus en plus facilement accès à l'éducation secondaire et supérieure, ce qui leur donne souvent un niveau d'instruction supérieur à leurs parents et, partant, plus d'indépendance morale et sociale, en plus de l'indépendance économique. L'élévation générale du niveau d'instruction, l'accession à de plus grandes richesses et à plus de loisirs, tout concourt à privilégier la tendance à la création de petites unités familiales. Le mariage n'est plus l'occasion pour une famille d'acquérir une « bonne procréatrice » : il n'est plus indispensable pour la famille de produire un grand nombre de « forces de travail » pour assurer sa stricte survivance. Bref, nous retrouvons dans les villes chinoises actuelles les mêmes facteurs socio-économiques qui, embryonnaires au début de ce siècle, ont préludé à la première « révolution de la famille » et aux premières critiques du féodalisme, dans les années 20 [20].

Malgré cela, il est toujours possible de discerner des comportements plus ou moins apparentés à la féodalité, même dans les grandes villes. Ne s'agirait-il pas alors de véritable continuité culturelle ? Pour répondre à cela, il faut d'abord examiner quelle est la situation sociale des deux groupes dont les intérêts personnels vont à l'encontre de ceux de la famille traditionnelle et dont l'émancipation sera proportionnelle à la perte de pouvoir de l'autorité patriarcale, soit les femmes et la jeunesse. D'autre part, il faudra encore reprendre la question des survivances féodales en fonction des classes sociales et de leur relation avec l'État qui, soulignons-le, n'a entamé sa bataille à finir avec le pouvoir familial que dans le but très large d'asseoir son propre pouvoir.

Les femmes et la jeunesse

Les politiques du PCC concernant le mouvement de libération des femmes se fondent sur le postulat marxiste-léniniste de l'unité d'objet de la lutte des femmes et de la lutte des classes. En effet, Engels démontre dans *Les Origines de la famille, de la propriété privée et de l'État* que l'oppression des femmes est une résultante de l'apparition de la propriété privée et de la formation des classes sociales. Il s'ensuit que, en permettant l'abolition de la propriété privée et l'élimination des classes sociales, seule la révolution prolétarienne est en mesure d'assurer la libération totale des femmes. Le mouvement de libération des femmes doit donc être subordonné aux luttes des travailleurs et leur émancipation est fonction de celle des larges masses laborieuses. La victoire une fois acquise, la première tâche est de sortir les femmes de la domesticité où les classes exploiteuses les ont confinées et de les faire participer à la production sociale. Elles acquéreront ainsi l'indépendance économique et la formation politique nécessaires à leur émancipation complète.

Durant les premières années du régime, l'admission en masse des femmes à la production sociale contribue grandement à améliorer leur position dans la maisonnée et le village. Le PCC considère alors que chaque étape dans la transformation du mode de production amène un nouveau stage dans l'émancipation des femmes. Cette analyse connaît son apogée lors du Grand bond ; celui-ci, en mettant l'accent sur la socialisation complète des tâches ménagères, devait produire les conditions optimums pour l'émancipation complète des femmes. C'est après le Grand bond que la corrélation automatique entre participation à la production et accès à un statut social plus élevé (y compris l'accès au pouvoir politique) commence à être remise en question[21].

Il est vrai que, depuis la réforme agraire, les transformations successives dans l'organisation du travail ont permis une participation croissante des femmes à la production. En 1957, trois millions de femmes seulement travaillent dans les usines chinoises[22]. En 1971, ce chiffre passe à cent millions pour les entreprises industrielles gérées par l'État. On estime que, pour la même année, environ 50 % de la force de travail agricole est constituée de femmes. Mais la participation à la production ne s'accompagne pas nécessairement d'égalité. En milieu rural, le nombre moyen de points-travail alloué aux femmes est de 7, alors que la moyenne masculine est de 10. Pourquoi ? Parce que les femmes sont moins fortes que les hommes, parce qu'elles ne peuvent travailler autant qu'eux, étant constamment sollicitées par les tâches domestiques et, enfin, parce qu'on ne peut leur allouer n'importe quel poste. La force de travail masculine est utilisée en grande partie pour les grands travaux d'infrastructure agricole et l'industrie rurale, alors que les femmes héritent du secteur le plus primitif et le moins productif, le travail purement agricole. Dans la brigade Octobre de la commune du même nom dans la banlieue de Nanjing, le travail agricole est à 70 % féminin alors que les unités de production para-agricoles et industrielles relevant de la brigade emploient une majorité d'hommes [23].

Force est de reconnaître que le travail féminin est encore orienté vers les tâches domestiques et la production privée. Dans une certaine mesure, la maisonnée agit encore comme unité de production en milieu rural (parcelles individuelles, production subsidiaire). Et l'organisation du travail au sein de la maisonnée se modèle encore sur la division des sexes :

La vieille division patriarcale du travail qui abandonne les tâches domestiques aux femmes n'a pas beaucoup été modifiée en République populaire de Chine. Partout où nous sommes allés, nous avons demandé si les hommes partageaient le travail ménager. On nous a quelques fois assuré que les hommes mettaient un peu la main à la pâte. Les femmes de la commune Hongqiao nous ont dit fièrement que tous les hommes savaient cuisiner et s'y mettaient parfois. Mais presque partout, quand nous demandions qui lavait les vêtements à la main, qui s'occupait des enfants après l'école, qui faisait les courses, qui faisait les repas, qui faisait le ménage, qui faisait la couture, la réponse était : « l'épouse, bien sûr [24] ».

Par ailleurs, le pourcentage de femmes impliquées dans la production est de loin plus élevé que le pourcentage de celles-ci dans les organismes administratifs et politiques aux niveaux local et national. Même si le taux de participation politique des femmes au niveau local s'est considérablement amélioré depuis les années 60, elles ne constituent encore que 20 à 30 % de la représentation dans les groupes dirigeants (première moitié des années 70).

Alors que l'accès à la production sociale est une condition *sine qua non* du changement de statut des femmes, il n'est cependant pas la condition unique. La redéfinition du rôle des femmes et leur appropriation du pouvoir et de l'autorité ont comme prérequis des relations solidaires entre femmes unies par un but et une conscience communs [25]. Le concept de groupes de solidarité féminine fait partie intégrante de la stratégie du PCC envers les femmes depuis les années 20. Il suggère la formation de groupes pour protéger et promouvoir les intérêts des femmes, leur permettant ou du moins leur facilitant l'accès aux ressources économiques et idéologiques de la société et leur contrôle sur elles. (C'est d'ailleurs au nom du manquement à ce concept de base que les cadres de la Fédération des femmes chinoises ont été critiquées lors de l'affaire Gao Yanfang citée plus haut.)

Le rôle précis de ces groupes a cependant été régulièrement le sujet de controverses, à savoir si la solidarité féminine doit l'emporter sur la solidarité de classes ou non. D'après la théorie marxiste-léniniste, l'oppression spécifique dont souffrent les femmes ne fait pas d'elles une classe sociale ; hommes et femmes appartiennent à des classes différentes et c'est la nature de leur classe qui détermine leurs attitudes et leurs priorités sociales. Dès que le mouvement des femmes pour les femmes prend de l'ampleur, comme ce fut le cas après la promulgation de la loi sur le mariage en 1950, les autorités accusent les responsables des groupes de femmes d'interpréter en termes exclusivement féminins ce qui, à la base, est un problème de classes, et d'adopter une attitude séparatiste et autonomiste qui génère des contradictions antagoniques entre les deux sexes. En fait, toute l'histoire du mouvement de libération des femmes en Chine s'est construite autour de ces deux pôles : d'un côté, assurer la primauté de la notion de classe, de l'autre, permettre aux femmes de s'organiser pour promouvoir leurs droits, en leur nom propre, et non en fonction des différentes classes sociales. Il n'est pas surprenant que le premier point de vue ait, dans l'ensemble, dominé la lutte des femmes contre le patriarcat.

Lors d'une visite dans un comité de rue de la municipalité de Pékin, j'ai demandé aux responsables de la clinique de santé quelles étaient les proportions d'hommes et de femmes qui se faisaient stériliser dans le cadre des programmes de contrôle des naissances. Le pourcentage d'hommes stérilisés étant très bas, moins de 5 %, on m'a dit : « La stérilisation n'est pas bonne pour les hommes, elle nie leur virilité et leur enlève toute essence masculine. » Voilà une réponse révélatrice de la perception du rôle des hommes et des femmes. Pour n'être qu'un exemple isolé, il témoigne cependant de la soi-disant supériorité des mâles, même en système socialiste. Les femmes, malgré leur participation accrue à l'économie, sont toujours confinées aux rôles politiques et sociaux traditionnels. Il en est de la procréation comme de la stérilisation. La stérilité naturelle peut encore être considérée comme une cause de divorce ; ce n'est pas ici la loi qui est en jeu, mais bien le « droit » coutumier [26].

Ainsi, bien que sur le plan économique il y ait eu de véritables changements dans la condition des femmes chinoises, on ne peut affirmer qu'elles aient atteint l'émancipation complète. Au point de vue social et politique, le rythme du changement est beaucoup plus lent. Le problème se situe en partie au niveau des hommes, mais aussi au niveau des femmes qui ont de leur rôle social une perception tout à fait traditionnelle. Combien de fois n'entend-on pas des jeunes étudiantes se plaindre de leurs piètres résultats scolaires en en rejetant la responsabilité sur leur pauvre intelligence féminine [27].

Du point de vue du PCC, l'émancipation des femmes est bien sûr liée à l'émancipation complète des travailleurs. Il ne s'intéresse que rarement aux problèmes auxquels les femmes sont confrontées si ce n'est par l'intermédiaire de son département de la Fédération des femmes chinoises. Tout se passe comme si, fort de l'indépendance économique que ses politiques ont apportée aux femmes, il se désintéressait de la question accessoire qu'est leur rôle social, en dehors des cadres traditionnels.

> Le Parti vante souvent son mouvement de libération de la femme, mais celui-ci, totalement contrôlé par le gouvernement, n'a aucune spontanéité. C'est un don qu'on leur accorde, non un droit qu'elles conquièrent. Peut-on, sans lutter, obtenir une véritable libération ? Les femmes chinoises manquent sérieusement d'esprit d'initiative du fait d'une tradition historique. Cela n'est pas irrémédiable. Encore faudrait-il que le régime accepte que les gens fassent preuve d'esprit d'initiative. Mais, en fait, il n'imagine pas pour lui d'autre rôle que celui d'enseignant, de guide, et considère que laisser aux gens l'initiative représenterait un grave danger et même un déclin pour l'humanité [28].

Hors du Parti, point de salut et aucun droit à une action indépendante. La Fédération des femmes chinoises tout comme la Ligue de la jeunesse communiste du PCC sont des excroissances du PCC et non de véritables organisations de masse. Pour les femmes comme pour les jeunes, le PCC met l'accent sur l'unité au détriment des différences. Et la plupart des textes publiés sous son égide pour ces deux groupes sociaux ont de forts relents de paternalisme. Ceci est encore plus évident dans la presse de la jeunesse et les politiques du PCC à son égard.

La jeunesse forme une couche sociale en constant mouvement. En Chine, sa situation et ses revendications ont largement varié depuis 1949. Mon propos n'étant pas d'en faire une analyse historique, je me concentrerai sur les problèmes associés à ce groupe au cours des dernières années. Je crois cependant que l'attitude du PCC face à ce groupe n'a guère changé au cours des trente années du pouvoir populaire ; celle-ci est dictée par le principe fondamental que la jeunesse est l'avenir de la révolution et que, par conséquent, le PCC a la responsabilité de sa bonne éducation politique. En tant que groupe social particulier, elle doit se soumettre à la direction du Parti.

La population chinoise est jeune : 50 % des Chinois sont âgés de 25 ans et moins. Les problèmes spécifiques à la jeunesse, son attitude envers le présent régime, son degré de participation active à la vie politique et ses comportements sociaux sont donc de première importance et peuvent influer grandement sur l'ensemble du pays. Les dirigeants chinois ne l'ignorent pas. Le 10e congrès de la Ligue de la jeunesse communiste en octobre 1978 et la reprise de la publication de la revue *Jeunesse de Chine* sont les bases sur lesquelles le PCC entend renouveler son approche envers la jeunesse pour régler dans l'immédiat, et à plus long terme, les problèmes sérieux de celle-ci.

Dans un article célébrant l'esprit révolutionnaire des jeunes lors des événements du 5 avril 1976, on établit une nette distinction entre la jeunesse des années 50 et celle des années 70, qualifiant la première de « simple et pure » et la seconde de « compliquée et impure », c'est-à-dire que dans la première décade du régime populaire tout semblait simple à la jeunesse et l'adhésion à la cause révolutionnaire n'y créait aucun problème alors que les jeunes issus des périphéries de la Révolution culturelle ont une plus grande conscience de la complexité du monde et une plus grande expérience, ayant été tour à tour exaltés et blessés dans leurs idéaux [29]. Contrastant avec l'esprit dans lequel est rendu cet hommage, Li Xiannian, dans un discours prononcé au 10e congrès de la Ligue de la jeunesse communiste, souligne que les jeunes doivent jouer un rôle prééminent dans la « longue marche vers les Quatre modernisations » alors que « les dirigeants et les organisateurs de ce grandiose essor, ce sont le bien aimé CC [...], ce sont les révolutionnaires éprouvés et testés de la vieille génération [30] ». Chacun de ces textes reflète une attitude différente envers la jeunesse, d'un côté le respect et la compréhension, de l'autre une volonté non déguisée d'endiguer l'énergie de la jeunesse avant qu'elle ne devienne incontrôlable. C'est en fait tout le dilemme auquel le PCC doit aujourd'hui faire face : ses vieux dirigeants, persécutés par les jeunes gardes rouges de la Révolution culturelle, n'ont pas oublié l'enthousiasme parfois destructeur de leurs cadets et doivent canaliser ces énergies vives tout en offrant des solutions à leurs problèmes particuliers [31].

Mais quels sont ces problèmes particuliers ? Nous avons déjà souligné les causes de la désillusion générale qui suivit la Révolution culturelle : la réalisation soudaine que le PCC n'était pas si pur que la propagande le laissait croire, l'expérience pratique des luttes de pouvoir, la corruption et le suivisme politique de beaucoup de cadres, bref une vision plus réaliste des choses. Pour la jeunesse, élevée dans l'idéal révolutionnaire et la gloire d'un Parti dispensateur de justice et de prospérité, engagée dans des luttes dont elle ne comprenait souvent pas la véritable issue et énergiquement mise au pas par la suite, la Révolution culturelle eut de profondes répercussions. Tout d'abord, la perte de confiance dans le Parti et le scepticisme sur les moyens qu'il propose pour atteindre ses buts révolutionnaires ; ensuite, le désintéressement face à l'intérêt de la nation et de la révolution et la promotion des intérêts matériels individuels. L'ensemble du phénomène est exprimé sous le vocable de *kantou*, littéralement « voir au travers » (ras le bol). Cela se traduit par un apathisme politique et social et la recherche active du confort matériel qui mène dans certains cas à la délinquance et à la débauche. C'est du moins ainsi que la littérature « de la blessure » présente le problème [32]. Les solutions envisagées sont d'ordre économique (promouvoir la production et la participation par des stimulants matériels) et idéologique (faire campagne pour « soigner » les blessures des jeunes et leur permettre de se doter d'idéaux [33]). Il va de soi que ce phénomène est présent à divers degrés et que tous les jeunes Chinois ne sont pas soudainement devenus des délinquants endurcis. Mais il s'agit tout de même d'une atmosphère, d'un courant d'idées qui influence l'ensemble des jeunes.

Ces tendances négatives se doublent de problèmes très concrets. Li Xinnian révélait en 1979 que la Chine comptait 20 millions de chômeurs [34]. Pour la seule ville de Shanghaï, ils sont 200 000 lycéens en « attente d'emploi », terme par lequel les autorités désignent les jeunes gradués en chômage. À eux viennent s'ajouter 300 000 jeunes instruits envoyés à la campagne au cours des dix dernières années et revenus illégalement en ville. La plupart des chômeurs sont des jeunes. Malgré divers programmes destinés à encourager la mise sur pied d'organisations coopératives embauchant des jeunes sans emploi, le problème reste réel et n'est pas près de se régler étant donné la pauvre situation économique actuelle. Conscient qu'il ne peut solutionner le problème à lui seul, le gouvernement ferme les yeux sur des entreprises semi-privées pourvu qu'elles permettent une croissance de l'emploi. Parallèlement, on assiste à une recrudescence du marché noir, stimulé par les contacts plus fréquents avec l'étranger. Une bonne partie de la jeunesse chinoise vit donc actuellement sous le système de la débrouille et ne peut assurer sa survie qu'avec le support de la famille, la seule unité sociale qui puisse encore assurer la sécurité économique.

Par ailleurs, à la faveur de la libéralisation du régime, en particulier dans les années 1979-1980, une foule de comportements asociaux et anti-socialistes sont apparus. Pour le PCC, il s'agit ici de problèmes touchant à la morale socialiste : libéralisation des moeurs sexuelles, contacts trop fréquents avec les étrangers, comportements décadents, etc. [35] Tout se passe comme si personne n'avait prévu l'ampleur que prendrait cette libéralisation parmi la jeunesse. Chose certaine, la plupart des données indiquent la prédominance d'enfants de cadres et de fonctionnaires parmi ceux qui font le moins preuve de « morale ». Le problème est délicat car la critique du comportement de ces jeunes ne peut se passer de la critique de leurs parents. *Femmes de Chine* et *Jeunesse de Chine* ont d'ailleurs publié nombre d'articles destinés aux cadres et leur disant, en substance, qu'ils auraient tout intérêt à mieux se comporter, à donner un meilleur exemple et à surveiller leur progéniture [36]. Quelles que soient les classes sociales, un fait semble commun, celui de la recherche de biens matériels. Cette recherche, condamnée unilatéralement durant la Révolution culturelle, est maintenant acceptée si elle ne détourne pas les énergies du but commun à la nation. Certes, cela constitue une légère entorse aux principes de la morale socialiste, mais n'en constitue pas moins une réponse éminemment pratique à la situation actuelle. Ainsi, en ce qui concerne le mariage, le 10ᵉ congrès du PCC réitère la position suivante :

> La Ligue doit se soucier des problèmes du mariage et de l'amour parmi la jeunesse, elle doit la guider pour trouver un juste point de vue à ce sujet. L'argent et les cadeaux ne peuvent mener au vrai bonheur ; il n'y a que l'amour fondé sur un idéal commun révolutionnaire qui puisse donner un mariage solide et heureux et la création d'une famille amicale et harmonieuse. Par la propagande et l'éducation patiente et consciencieuse, nous devons suggérer aux jeunes de faire, de leur pleine volonté, des mariages sérieux et d'adopter le contrôle des naissances [37].

Nous nous trouvons donc en face d'une génération pour qui les malheurs de la vieille Chine et les progrès de la nouvelle ne présentent pas une comparaison justifiant la négation du bien-être matériel ou le sacrifice sans récompense. Dans la majorité des cas, la recherche du bonheur passe certainement par celle d'avantages matériels. Dans d'autres cas, moins nombreux, cette recherche devient, selon tous les critères socialistes, hédonisme et décadence. Tout se passe comme si les tabous imposés par la Révolution culturelle sur le mariage et l'amour une fois levés, une réaction extrême s'ensuivait et que la jeunesse se mêlait de faire ses propres expériences dont les résultats ne sont pas nécessairement compatibles avec les idéaux prônés par l'idéologie dominante.

La jeunesse chinoise actuelle se trouve dans une position singulière par rapport à ses aînés. Choyée par eux à l'âge tendre, puis éduquée consciencieusement dans la perspective de servir avant tout le peuple et la patrie, elle découvre au début de l'âge adulte que la société n'est pas simple et droite comme dans les bandes dessinées. Ses héros de la Révolution culturelle ont été jetés de leurs piédestaux. Les vertus socialistes, celles de l'honnêteté et du travail, s'avèrent beaucoup plus rares qu'elle aurait pu l'imaginer. Ceux qui ont aujourd'hui 20 ans ont vu leurs frères et leurs soeurs aînés s'épuiser dans les joutes oratoires de la Révolution culturelle ou victimes des combats armés de la même période. Puis, ils les ont vu partir pour la campagne. Ils ont aussi vu que ceux qui en revenaient plus tôt étaient « bien nés », avaient de bonnes relations familiales. Enfin, ils se sont rendu compte que toute cette sueur versée ne pouvait même pas garantir l'éducation supérieure ou la promotion sociale. Les *gong nong bing*, ouvriers-paysans-soldats de la Révolution culturelle qui avaient eu la chance d'entrer

132

à l'université au début des années 70 en ressortaient, diplôme en poche, mais ceux-ci ne valaient plus grand-chose pour les futurs employeurs.

La jeunesse d'aujourd'hui réévalue ses priorités en fonction des nouvelles politiques. L'heure est maintenant à la modernisation et à l'éducation. Elle étudie, compétitionne pour l'accès à l'université, devient ambitieuse. Ses préoccupations sont moins centrées sur la politique, elle louche vers le confort matériel et la sécurité et se désintéresse des « grandes questions », car elles sont potentiellement trop dangereuses. Elle s'oppose parfois à l'autorité patriarcale. Mais cela demande bien du courage. Comment mieux vivre, sans le support matériel et affectif de la famille ? Comment combattre à la fois l'autorité patriarcale et l'opinion sociale ? Comment se prévaloir d'un piston possible, si le contrôle en est aux mains des parents ? Là encore, l'attitude paternaliste généralisée envers les jeunes ne permet souvent pas à ceux-ci de s'affirmer contre les pressions parentales.

Pour résumer, je dirai que le manque relatif d'initiatives politiques et sociales accordées aux femmes et à la jeunesse les confine objectivement dans leurs rôles traditionnels. Ceci est surtout caractéristique de la situation des femmes. La révolte active ou passive de la jeunesse nous montre par ailleurs un groupe beaucoup plus conscient de ses limites sociales et pour cause : la jeunesse est, par définition, beaucoup moins liée par la tradition, ayant une éducation générale et des espérances sociales et politiques plus élevées. Cependant, dans son opposition à la tradition, elle se heurte aux générations âgées qui entretiennent envers elle des réserves compréhensibles. Selon leur milieu social, les jeunes sont plus capables d'avoir des comportements non traditionnels en fonction de la réponse négative ou positive de leurs aînés.

Classes sociales et féodalisme

Nous avons déjà mentionné ce phénomène paradoxal selon lequel, d'après les articles parus dans *Femmes de Chine* et *Jeunesse de Chine*, les comportements à saveur patriarcale se retrouvent aussi parmi les cadres. En effet, dès que l'on quitte la campagne et que l'on s'intéresse au milieu urbain, s'il est question de coercition, elle sera dénoncée par la fille d'un cadre, amoureuse d'un simple ouvrier et aux prises avec ses parents qui ne veulent pas appuyer un tel mariage, pour des considérations de statut social. Quant aux attitudes mercantiles, elles semblent se retrouver au sein d'un éventail plus large de la population et ne peuvent être qualifiées de caractéristiques d'un groupe plutôt que de tel autre groupe.

Il n'y a jusqu'à présent aucune analyse des classes sociales composant la société chinoise actuelle. Il est cependant possible de distinguer différents groupes selon la façon dont les Chinois divisent habituellement leur propre société. Si nous parlons ici de classe sociale, la division ne sera donc pas fondée sur une véritable analyse. La population active de la Chine se divise en trois grands groupes, selon le mode de rémunération. Ce sont, premièrement, les paysans rémunérés selon le mode collectif; deuxièmement, les ouvriers et employés (*zhigong*) touchant des salaires selon une échelle de 7 niveaux et enfin, les « cadres » (*ganbu*) touchant également des salaires mais selon une autre échelle, de 21 degrés. Sous la dénomination de cadres, on retrouve les intellectuels (professeurs, chercheurs), les fonctionnaires, les cadres administratifs et politiques. Les deux premiers groupes ne sont pas à proprement parler des cadres, alors que le dernier regroupe les cadres de tous les échelons (sauf les cadres politiques de la base), les membres des hautes instances du PCC et du gouvernement étant inclus. Il semble que la distinction entre la classe de salaire des ouvriers et employés et celle des cadres s'apparente à la division classique entre travail manuel et travail intellectuel, caractéristique traditionnelle. C'est un fait que les autorités chinoises n'ont jamais ouvertement nié et qu'elles ne jugent pas encore à propos de modifier, insistant sur le fait que l'égalitarisme n'est pas un but à court terme du socialisme.

Si la persistance de traits féodaux dans le mariage et la famille en milieu rural s'explique aisément par le faible niveau de développement des forces productives et son effet restreignant sur l'organisation collective, la même persistance s'explique mal lorsqu'il s'agit des cadres du gouvernement et du PCC, situés en milieu urbain tout comme les ouvriers et autres employés. S'agit-il encore de continuité culturelle ? On pourrait certainement élaborer longtemps sur les ressemblances entre les cadres politiques et administratifs d'aujourd'hui et les mandarins d'hier. Et la comparaison a été reprise maintes fois dans la presse chinoise depuis les débuts de la critique de la « bande des quatre ». Mais chaque fois que la presse chinoise aborde le sujet, c'est pour parler de ces « mandarins » pris individuellement, de la tare féodale dont certains d'entre eux auraient hérité.

Néanmoins, la quantité d'articles relatifs à ces comportements traditionnels est trop grande pour limiter le problème à des individus. De même, le haut degré d'interférence parentale au sein des familles de cadres moyens et supérieurs (*gaogan*) nous force à examiner la situation de façon plus globale.

L'autorité patriarcale est encore très forte parmi les cadres. Ce qu'il faut déterminer, ce sont les raisons de cette force. Si on accepte l'explication de continuité culturelle, il sera difficile d'expliquer ces comportements si on se rend compte que plusieurs des cadres actuels sont issus de diverses classes sociales (paysans, ouvriers, intellectuels, moyenne bourgeoisie) et ne forment pas un tout homogène. Il faudra peut-être alors s'interroger sur la relation entre les mariages arrangés ou coercitifs et les intérêts du groupe pris dans son ensemble.

Les cadres chinois jouissent de par leur fonction d'un certain nombre de privilèges, tel l'usage d'une automobile. Ces privilèges sont considérés comme des facilités permettant aux cadres de mieux effectuer leur travail. Cependant, ils s'étendent souvent à la famille du cadre en question et cela n'est pas, aux yeux du PCC, excusable. Il est de notoriété publique que plusieurs cadres de Pékin « empruntent » la voiture de leur unité pour permettre à leur famille de faire des courses sur la rue Wang Fu Jin. Un informateur affirmait que les cadres touchent en réalité le double de leur salaire ; ils peuvent acheter leur nourriture dès les arrivages et la payer au prix fixé par l'État alors que les simples travailleurs doivent faire la queue, sans être certains de pouvoir tout acheter, et ils devront alors se tourner vers les marchés libres où les prix sont beaucoup plus élevés. La famille des cadres jouit donc des avantages du poste du ou des parents. De plus, les enfants de ceux-ci, bénéficiant d'une atmosphère propice, auront plus de chances de réussir aux examens universitaires et, partant, d'obtenir des positions élevées à leur graduation. Ainsi, il semble que les cadres moyens et supérieurs jouissent des meilleures conditions pour permettre leur reproduction en tant que groupe social particulier.

L'état de cadre avec tous ses avantages a cependant la contrepartie de l'instabilité politique. L'expérience des 20 dernières années a montré qu'un cadre politique pouvait être aussi facilement promu que démis au cours de grandes campagnes. C'est que les règles d'incompétence ne s'appliquent pas toujours à eux. Lors des mouvements politiques, s'ils sont trouvés passibles d'erreurs politiques, ils ne seront en général pas rétrogradés mais tout simplement renvoyés. Ainsi, il n'est possible de « faire carrière » comme cadre, que pour autant qu'on s'organise pour passer sans anicroches à travers les campagnes de tout acabit. Il faut noter ici que la carrière commence souvent par l'admission au PCC qui sert désormais de tremplin. C'est la raison pour laquelle beaucoup de jeunes ne considèrent plus l'admission au PCC comme un honneur et refusent même d'en faire la demande, le processus étant, d'après eux, réservé aux carriéristes et arrivistes [38]. Sans toutefois vouloir juger des motivations de l'ensemble des cadres, il faut convenir que c'est là un métier qui peut s'avérer relativement dangereux.

L'interférence des parents dans les mariages peut souvent s'expliquer par la position précaire du cadre. En effet, les parents seront prêts à s'opposer au plus beau mariage d'amour si le conjoint a des antécédents politiquement douteux. Prenons comme exemple extrême le mariage de parias. L'alliance entre une famille de cadres et une famille aux origines « noires » politiquement parlant, comme par exemple une famille d'anciens capitalistes ou propriétaires fonciers, ne peut être qu'une exception, tout cadre sachant qu'une telle alliance pourrait provoquer des conséquences néfastes en période politique instable. Nous pouvons aussi prendre comme exemple le mariage entre Chinois et étrangers. Ces mariages se sont multipliés au cours des derniers quatre ans. Dans ce genre de mariage, l'étranger ou l'étrangère est facilement assimilable à la catégorie des conjoints douteux, comme le prouve la méfiance de plusieurs envers les Chinois qui ont de la famille à l'étranger. Parmi les parents qui ont opposé les refus les plus définitifs, la majorité étaient des cadres.

Pourtant, plusieurs des témoignages publiés dans la presse chinoise nous présentent des situations différentes. Le futur conjoint est souvent ouvrier ou employé et est considéré comme un bon travailleur. On peut alors se demander si le veto patriarcal ne trouverait pas ses racines à même la volonté du groupe des cadres de se reproduire en tant que groupe. Cette vision des choses est par ailleurs confirmée indirectement par le témoignage des enfants qui veulent choisir eux-mêmes leur futur conjoint et s'opposent à leurs parents sur des bases politiques [39]. D'ailleurs, il nous faut constater que tous les cas cités font référence à des enfants de cadres désirant se marier au-dessous de leur condition. Bref, tout semble concorder pour faire des mariages dans les milieux de cadres de véritables affaires de famille où le choix personnel des enfants n'importe que dans la mesure où il agrée aux parents.

En poussant un peu plus l'analyse, il semble que le mariage serve ici de support à une nouvelle forme d'héritage. En régime socialiste, il n'existe plus de propriété privée et les biens héritables ne sont que les biens personnels. Mais une telle attitude vis-à-vis du mariage donne à penser que l'héritage se fait maintenant en fonction de la position. Il existe la tendance suivante : le mariage entre enfants de cadres est privilégié au détriment des autres, ce qui tend à reproduire au sein des générations subséquentes les mêmes avantages et privilèges, renforcés par l'éducation supérieure plus facilement accessible et les possibilités innombrables de « la porte de derrière ». En somme, ce n'est plus de propriété qu'on hérite, mais bien d'un titre, et des privilèges qui y sont rattachés.

Si l'on prend pour acquis un tel phénomène, il faut se demander pourquoi ni le Parti, ni l'État n'interviennent, car cela va à l'encontre de leurs principes fondamentaux. De plus, cela risque de faciliter la création de véritables fiefs dans les régions si la famille prend tant d'importance au niveau des cadres. Reprenons l'exemple des mariages entre Chinois et étrangers.

Dans tous les cas que je connais, si les autorités locales décident de s'opposer à la conclusion d'une telle union, elles doivent d'abord consulter la famille de la partie chinoise et s'assurer de son veto. Si la famille donnait son assentiment, alors les autorités ne pourraient rien faire. Et ce, sans qu'on tienne jamais compte de la volonté de ceux qui veulent se marier. De même, l'appui des autorités locales au projet de mariage est plus souvent qu'à son tour contrecarré par le désaccord des parents. Les jeunes qui se sont trouvés dans une telle situation ont donc dû faire appel aux plus hautes instances du PCC et aux pressions diplomatiques. La volonté de la famille est encore et toujours la volonté suprême et ne peut être contrecarrée que par une intervention massive du pouvoir d'État, relativement aisée quand il s'agit d'étrangers mais combien plus aléatoire quand il s'agit de simples citoyens. Au sein même des administrateurs de l'État, les comportements se calquent souvent sur les modèles traditionnels-féodaux, que ce soit du point de vue des relations familiales ou des relations famille/État. Nous avons là une parenté partielle avec le système traditionnel où la famille constitue de facto une base de pouvoir pour la bureaucratie.

Il serait intéressant de mener des recherches approfondies sur la question. Peut-être y trouverait-on encore vivante une des contradictions importantes de l'Empire chinois, la contradiction entre l'autorité de l'État centralisé, d'une part, et le pouvoir croissant des bureaucrates locaux et régionaux, fondé sur un despotisme « familial », d'autre part. Il faut se demander s'il n'existe pas une certaine parenté entre l'organisation politique traditionnelle et celle qui est en train de s'élaborer en Chine. Cela pourrait peut-être expliquer la résurgence des comportements patriarcaux dans le mariage et la famille. Ce dernier phénomène ne serait plus alors vu comme un fait isolé mais comme le symptôme d'un problème beaucoup plus large et qui touche à tous les aspects de l'organisation économique, sociale et politique de la Chine d'aujourd'hui.

Épilogue

Les faits que je viens de rapporter remontent pour la plupart à plus de trois ans. Ils ne sont pas pour autant périmés. Les phénomènes traditionnels dans la famille et le mariage se retrouvent encore et sont toujours mentionnés dans les médias chinois. Par contre, le PCC a procédé durant cette période à de grandes transformations, particulièrement dans le domaine de l'organisation du travail et de la structure économique. Ces transformations influenceront certainement les relations sociales et familiales. Mais il est difficile de se faire un tableau exact de ces influences pour le moment. Les transformations sociales prennent souvent du temps à s'actualiser comme phénomène distinct. Car, règle générale, une société se transforme progressivement. Il est cependant déjà possible, d'après quelques indices, de déduire les directions générales que prendront les changements. Par ailleurs, il faut aussi constater la persistance de certains traits.

Tout récemment, le *Quotidien du soir* de Beijing, dans son édition du 22 octobre 1983, révélait les résultats d'une enquête faite au cours des années 1982-1983. Sur 200 couples de la ville de Beijing, les dépenses moyennes encourues par les familles à l'occasion du mariage se chiffrent à 1 991 yuans, soit une augmentation de 437 yuans par rapport à une moyenne similaire établie pour l'année 1980. Il y a donc une tendance à la hausse dans ce que la presse chinoise avait qualifié il y a quelques années de mercantilisme dans le mariage. Ce courant peut aussi refléter l'augmentation des attitudes consommatrices au sein de la population des grandes villes. Il est critiqué par la presse chinoise comme un manque flagrant aux vertus socialistes d'économie et de frugalité. On peut cependant se demander si les autorités interviendront pour modifier ces attitudes. En effet, du point de vue économique, ces dépenses peuvent stimuler l'économie, en augmentant la demande pour les produits de l'industrie légère et, par là, pousser les industries à hausser leur production. Car on entend ici par dépenses relatives au mariage, non seulement les frais du banquet et de la cérémonie, mais aussi le trousseau du nouveau couple incluant un ensemble complet de meubles, une télévision, des vêtements et autres biens de consommation.

La même enquête ventile les dépenses moyennes de la façon suivante : des 1 991 yuans déjà cités, les jeunes mariés contribueront seulement pour 657,63 yuans, soit 127 yuans de moins en moyenne que pour l'année 1980. Les parents des futurs conjoints contribueront, eux pour 1 330,92 yuans, soit les deux tiers du montant total encouru. Dans le cas d'un mariage cité en exemple, sur le montant total de 4 502 yuans, les jeunes mariés fournissent ensemble 1 000 yuans ; la famille du fiancé fournit 2 962 yuans et le reste, soit 540 yuans, est offert par les amis des familles ou du jeune couple. Comme nous l'avons vu auparavant, c'est encore la famille du fiancé qui se charge de la majorité des frais du mariage ; il est difficile de ne pas faire de rapprochement avec la tradition de compensation matrimoniale pour jeunes filles qui se donnent en mariage. Pourtant, il faut souligner que, contrairement à plusieurs des cas cités dans le chapitre 3, on met ici l'accent sur les demandes consommatrices du couple et non de la fiancée. Et la presse critique les jeunes, sans distinction de sexe, pour les demandes abusives qu'ils font à leur famille. Je crois qu'on peut rapprocher ces critiques sur le mariage de celles dirigées contre la jeunesse en général pour son manque de respect envers les générations plus âgées. Plus encore, une Occidentale résidant en Chine soutient que le fossé entre les générations s'agrandit de plus en plus et qu'on pourrait même parler d'un phénomène de conflit de générations qui apparaîtrait dans les grands centres, chose nouvelle dans ce pays où l'intérêt de chaque génération était toujours étroitement lié à celui des autres générations. Voilà sans doute un signe de changement dans la société qui est révélateur des transformations dans les motivations et les comportements de la génération montante. On peut s'attendre à ce qu'un tel phénomène génère éventuellement une certaine instabilité sociale.

Par ailleurs, ces statistiques démontrent l'importance attachée à cette transition qu'est le mariage.

Parents et enfants considèrent toujours celui-ci comme le moment le plus important dans la vie d'un individu. Les jeunes couples, tout comme leurs parents, sont prêts à s'endetter au point de ne pouvoir s'alimenter convenablement durant les premières années du mariage pour faire de cette étape un événement majeur qui reflète leur statut social et économique.

Il est difficile de déterminer comment cet aspect mercantile du mariage se répartit au sein des diverses couches sociales. L'enquête citée plus haut indique indirectement que les ouvriers et employés seraient ceux chez qui de tels comportements seraient les plus fréquents. En effet, la palme revient à un couple de milieu ouvrier qui a consacré la somme totale de 6 098 yuans pour son mariage, soit un événement coûtant 9 ans de travail pour un ouvrier gagnant un salaire moyen.

Enfin, le phénomène des mariages coûteux renforce la dépendance financière des jeunes générations par rapport à la famille. L'appui financier donné par les parents leur permet de garder le contrôle sur leurs enfants. Ils ont donc toujours leur mot à dire dans le choix du conjoint, s'ils le désirent. Par ailleurs, d'autres facteurs viennent aussi renforcer l'interdépendance des membres de la famille. Malgré la frénésie de construction de nouveaux logements, la crise de l'habitation est toujours aussi sévère. Les jeunes issus du boom de natalité de la fin des années 50 sont maintenant en âge de se marier. Et les logements déjà rares il y a quelques années le sont encore plus aujourd'hui, la construction n'arrivant pas à atteindre le rythme d'augmentation des nouveaux noyaux familiaux. À Beijing, on m'a dit que les nouvelles constructions de maisons à loyers multiples, très nombreuses dans les banlieues, n'ont augmenté la superficie moyenne des logements par habitant que de la grandeur d'une brique. C'est aussi lors de mon dernier passage à Beijing en octobre 1983 qu'un jeune Chinois s'est écrié : « Vous pouvez bien parler, vous les Occidentaux, d'indépendance des jeunes par rapport à la famille. Vous avez de l'espace, vous. Ici, quand on se marie, on n'est même pas sûr d'avoir un logement à soi. On ne peut pas parler d'indépendance quand on est obligé de vivre avec ses parents, même marié. »

Toujours en milieu urbain, le programme de contrôle des naissances semble bien fonctionner. On limite aujourd'hui les couples à un seul enfant. Pour le moment, cela ne semble pas causer de trop gros problèmes. Mais déjà certains magazines comme *Femmes de Chine* mettent les parents en garde contre le phénomène des enfants uniques, les incitant à éduquer leur fils ou leur fille pour ne pas en faire des enfants gâtés et à s'assurer qu'ils se comportent en bons citoyens respectueux des principes d'entraide et de communauté de la société socialiste. Par ailleurs, les parents d'enfants uniques se trouveront confrontés à d'autres problèmes une fois les enfants adultes. En effet, les parents d'enfants mâles voudront exercer leur droit traditionnel à vivre sous le toit de leur fils une fois la retraite atteinte. Et les couples qui ont eu une fille se sentiront pénalisés. On compte toujours en Chine sur les enfants pour assurer l'entretien des vieillards, que ce soit sur le plan du logement ou sur le plan financier. Mais si le problème de la virilocalité devient important, il faudra peut-être envisager la création à grande échelle de maisons d'accueil pour vieillards, ce qui non seulement drainerait de grandes ressources économiques mais aussi répugne intensément à tout bon Chinois.

Un autre phénomène lié à la famille est aussi en passe de créer de fortes tensions sociales et économiques. Il s'agit de la crise des pensions de retraite. Les fonds de réserve des entreprises consacrés à ces pensions s'épuisent rapidement sous la poussée des retraites anticipées. En effet, si le chômage n'est plus, au dire des autorités chinoises, aussi élevé qu'à la fin des années 70, les jeunes gradués de l'école secondaire doivent souvent attendre plusieurs années avant d'entrer dans une grande entreprise. Ces derniers emplois sont très convoités pour les salaires qu'ils offrent et la sécurité de l'emploi. Beaucoup de jeunes préféreront attendre un emploi éventuel dans ce secteur plutôt que de joindre une entreprise plus petite ou une entreprise coopérative comme celles qui ont été créées justement pour remédier au chômage. Il arrive alors que les ouvriers des grandes entreprises d'État se retirent prématurément du travail pour permettre à leur fils ou leur fille de prendre leur place. La famille fait ainsi un double profit. Au lieu d'entretenir un enfant à la maison en attendant qu'on lui assigne du travail, la famille peut compter non seulement sur le salaire de l'enfant mais aussi sur la pension versée par l'entreprise au parent retraité, pension qui peut atteindre 80 % du salaire d'avant la retraite. Cette façon de faire est très répandue. Elle épuise les fonds spéciaux de certaines entreprises. D'ailleurs, ces dernières ont récemment soulevé le problème auprès des autorités

148

centrales et ont proposé la création de fonds spéciaux administrés par le gouvernement. Cependant, même l'augmentation des crédits alloués par l'État aux fonds de pensions aura du mal à endiguer ce phénomène. Il est à prévoir que les entreprises réglementeront plus sévèrement l'embauche.

En milieu rural, les politiques introduites par le PCC et le gouvernement chinois ont amené les transformations les plus frappantes des dernières années. Je parle ici de l'introduction du système de responsabilité dans l'agriculture. Introduit au début dans la province du Sichuan en 1979, sous la direction de Zhao Ziyang, devenu maintenant Premier ministre, ce système s'est graduellement répandu à l'ensemble du territoire chinois. Il est appliqué à des degrés divers et sous diverses formes selon les régions. Le principe fondamental de ce système est de donner plus de liberté de choix aux familles et aux équipes de production pour décider des produits à cultiver et de la forme que prendront les stimulants matériels pour permettre l'accroissement de la production agricole. Ainsi, dans les régions de la vallée du Yangzi, le système prend la forme suivante. Une famille passe un contrat avec la brigade de production ou la commune. Le contrat indique quels produits seront cultivés et sur quelle superficie du territoire de la commune (la terre reste toujours propriété collective). Au moment des récoltes, la famille livrera à l'État une partie de sa production selon des quotas préétablis. Le surplus appartiendra en propre à la famille qui pourra en disposer librement. Elle pourra soit vendre le surplus à l'État à des prix plus élevés que les prix d'achat pour les quotas de base, soit le vendre sur le marché libre.

Ce système a permis un accroissement considérable de la production agricole chinoise. Depuis 1979, la valeur totale de la production agricole a augmenté en moyenne de 6,5 % par année (en prix constants 1980). Ceci représente une augmentation considérable par rapport aux moyennes annuelles de 2,7 % depuis 1952, après que la Chine a rattrapé le niveau de production d'avant la guerre. En stimulant la productivité agricole, le système de responsabilité apporte une solution au problème agricole chinois fondamental : la rareté de la terre. La superficie de terre cultivable per capita est deux fois plus élevée au Japon et trois fois et demie plus élevée en Inde qu'elle ne l'est en Chine. Par ailleurs, le système n'est pas appliqué uniformément à la grandeur du territoire. Ainsi les grandes étendues du nord-ouest de la Chine, à l'origine plus mécanisées, adoptent d'autres formes d'exploitation que l'exploitation familiale. D'autre part, les contrats familiaux sont utiles dans les régions densément peuplées du centre et du sud de la Chine où la dimension des champs et les cultures se prêtent difficilement à la mécanisation.

Malgré tous ces succès, le système de responsabilité peut engendrer des problèmes majeurs. L'exploitation familiale peut aller à l'encontre des politiques de contrôle des naissances. En effet, la préférence traditionnelle pour les enfants mâles se trouve renforcée par le besoin de bras forts pour l'agriculture. À la naissance d'une fille, on essaiera par tous les moyens de contourner les directives gouvernementales pour avoir un autre enfant, espérant que celui-ci sera un garçon. C'est ce qui explique le phénomène d'infanticides dont la presse chinoise fait état depuis un an. Mais il y a d'autres moyens moins draconiens de contourner les directives. Et on verra peut-être la création d'un cercle vicieux qui demande plus d'enfants pour accroître la production et en retour la production devra s'accroître à l'infini pour nourrir une plus grande famille. Les autorités chinoises sont naturellement conscientes de ce phénomène et, sans nul doute, sauront créer toute une variété de stimulants négatifs et de barrières administratives pour éviter l'augmentation de la population rurale.

Par ailleurs, le système de responsabilité dans l'agriculture, en donnant plus de pouvoir à la famille en tant qu'unité décisionnelle pour la production, pourrait modifier l'organisation socio-politique dans les campagnes. Ainsi, les alliances familiales entre membres d'un même clan pourront stimuler la création de bases de pouvoir parallèles à l'organisation gouvernementale. Cela pourrait entraîner un déséquilibre dans l'allocation des ressources disponibles pour l'exploitation agricole, soit dans le choix des parcelles de terres allouées (les meilleures terres sont données aux membres de la famille ou aux amis), soit dans la facilitation de passe-droits (on ferme les yeux sur la naissance d'un deuxième enfant). Encore une fois, je doute que les Chinois soient tout à fait inconscients de ces problèmes. On peut croire que le gouvernement tolère pour l'instant beaucoup d'irrégularités, quitte à punir quelques fautifs pour servir d'exemples. Par ailleurs, l'enjeu principal à l'heure actuelle est l'augmentation de la production agricole, et si celle-ci doit se faire aux dépens de l'application stricte d'autres politiques, on peut penser qu'on attendra encore quelque temps avant de reconnaître le problème, si effectivement problème il y a, et d'y apporter les correctifs appropriés.

Un correctif indirect est d'ailleurs mis en place à l'heure actuelle. Il s'agit de la campagne d'épuration du PCC qui a été lancée le 11 octobre 1983 à Beijing. Le PCC entreprend une opération de nettoyage général pour débusquer, dans ses rangs, les partisans des politiques gauchistes et ceux qui ont commis des crimes à la faveur de la Révolution culturelle. Cette campagne a pour but d'asseoir les nouvelles orientations du régime sur des bases plus solides. L'opposition active ou passive, qui semble encore être importante dans les provinces chinoises, pose sans doute une menace plus grave au gouvernement de Beijing que ne l'aurait laissé supposer l'ampleur des réformes. De plus, cette campagne d'épuration dans les rangs du Parti est parallèle à une campagne de masse pour la loi et l'ordre. Plusieurs exécutions de criminels se sont tenues publiquement dans diverses villes. Et même les parents de personnages haut placés ne sont plus protégés par leur statut politique. Exemples de ce phénomène : l'exécution présumée d'un petit-fils du maréchal Zhu De, compagnon d'armes de Mao Zedong, et l'arrestation de plusieurs enfants de hauts fonctionnaires du PCC et du gouvernement. Ces deux campagnes semblent être autant de signes émis vers ceux des membres du Parti et du gouvernement qui prennent appui sur leur position pour aider famille et amis, pour qu'ils rectifient leurs comportements.

En 1977, la Chine entreprenait sa « longue marche » vers la modernisation. Aujourd'hui, sept années plus tard, son économie s'est améliorée, le niveau de vie de la population a augmenté considérablement, surtout dans les campagnes. La Chine vise maintenant la révolution technologique et tente de moderniser ses entreprises existantes tout en formant une nouvelle génération de techniciens et de scientifiques.

Par ailleurs, l'organisation sociale se transforme elle aussi mais, semble-t-il, à un rythme plus lent. Au sein de la famille, plusieurs données traditionnelles persistent et entrent parfois en contradiction avec les intérêts du pays et du régime. Depuis 1949, le gouvernement chinois a travaillé à la transformation des relations familiales pour atteindre un certain modus vivendi avec la famille. Pourtant, tout porte à croire que cet équilibre pourra se rompre encore une fois avec la montée des nouvelles générations et les effets sociaux de la modernisation. Cependant la tradition règle encore une bonne partie des attitudes des individus, particulièrement à la campagne. Elle peut éventuellement freiner le décollage économique qu'entend faire la Chine. Ou du moins elle pourra infléchir le cours de ce décollage pour en détourner les profits à son avantage.

La question des rapports d'interférences entre la tradition et les nouvelles directions que le pouvoir central chinois entend donner à la société n'est pas simple à analyser. La famille et les problèmes qui s'y rattachent ne constituent qu'un seul des facteurs sociaux. Il est donc dangereux de juger de l'ensemble de la société en ne s'appuyant que sur l'étude des relations familiales. Pourtant, en replaçant les problèmes familiaux dans le contexte plus global de la société, on peut dégager les grandes lignes autour desquelles s'oriente la transformation de la société chinoise.

L'importance de la tradition dans le tableau global n'est plus à démontrer. En effet, il est clair que les relations familiales participent tout autant des données de la tradition que des influences des politiques socialistes du régime. Par rapport à l'individu, la loyauté personnelle est avant tout dirigée vers le groupe, que ce soit le groupe familial ou le groupe social plus large, et les conflits personnels seront souvent causés par les contradictions entre l'intérêt familial et l'intérêt social. Par contre, un individu peut jouer sur l'un des tableaux pour arriver à obtenir ce qu'il désire personnellement. On peut jouer la famille contre l'État et vice versa.

Du point de vue du gouvernement, on se doit de composer avec les aspects traditionnels de la société. Par ailleurs, la tradition se retrouve très forte dans certaines couches de la classe qui est elle-même chargée d'appliquer les politiques nouvelles. C'est un dilemme que le PCC devra régler à moyen terme, s'il veut que l'ensemble de la population suive véritablement les nouvelles orientations sociales proposées par le régime socialiste. Les campagnes d'épuration du PCC semblent donc un moyen efficace d'assurer la population de l'élimination des traits les plus « détestables » de la tradition au sein même de la classe dirigeante du pays.

C'est un équilibre délicat que le gouvernement chinois et le PCC tentent de réaliser entre, d'une part la tradition, et d'autre part l'organisation moderne de la société. On semble être à la recherche du mélange précis d'éléments à saveur capitaliste et de principes socialistes qui permettrait à la société chinoise de réconcilier sa tradition avec les exigences d'un développement industriel et technologique moderne. C'est peut-être justement ce travail constant d'expérimentation qui fait de la Chine un pays qui fascine tant et n'arrête jamais de nous surprendre.

Notes

Prologue

[1] En avril 1976, de violentes émeutes éclatent à Pékin et dans d'autres grandes villes. La faction pro « bande des quatre » au sein du Comité central s'empresse d'accuser Deng Xiaoping de fomenter ces troubles et lance une campagne contre ses politiques. Deng Xiaoping sera démis de ses fonctions deux jours plus tard, le 7 avril, lors d'une réunion du Bureau politique qui nommera Hua Guofeng Premier vice-président du Comité central et Premier ministre.

[2] Les intellectuels, tout comme les cadres vétérans, furent la cible favorite des « rebelles » durant la Révolution culturelle. On les qualifiait de *chou lao jiu*, puants de la neuvième catégorie, au dernier rang de la liste noire, après les anciens officiers du Guomindang et les propriétaires fonciers.

[3] Ce programme correspond grosso modo à celui qui avait été qualifié de « trois herbes vénéneuses » en 1976.

4 En chinois, le nom de *Si wu yundong* ressemble étrange-
ment à *Wu si yundong* ou Mouvement du 4 mai 1919.
Cette parenté dans les termes rapproche volontairement
ces deux mouvements patriotiques qui s'attaquent au despotisme et à l'idéologie féodale et sont lancés par la
jeunesse.

5 Profitant de l'ambiguïté du mouvement des Cent fleurs
(printemps 1956), plusieurs artistes et intellectuels for-
mulent des critiques plus ou moins fondamentales sur
certains aspects du régime socialiste. La période ne dure
que très peu de temps et donne naissance, en réaction,
au mouvement antidroitier (juin 1957). Plusieurs intellectuels éminents doivent se plier à l'autocritique ; Ding
Ling, une auteure célèbre, et le rédacteur en chef du
Guangming Ribao sont expulsés. Plus de 1 770 000 personnes font l'objet d'enquêtes ; on dénombre 130 000 « cas
spéciaux » ; enfin, plusieurs millions de personnes sont
envoyées dans les campagnes pour être rééduquées.

6 Il s'agit du mur qui s'étend dans la portion nord-ouest
de l'avenue Changan, à l'angle de la rue Xidan, et sur
lequel on colle les *dazibao* (affiches en grands caractères). On l'appelle aussi le mur de Xidan.

7 Ce texte constitue un violent réquisitoire contre le despotisme, source des maux économiques et sociaux qui
oppriment le peuple chinois. Il est aussi un plaidoyer non
moins véhément pour la démocratie et prône le système
économiqe de la libre entreprise. Voir Sidane, *Le Printemps de Pékin: novembre 1978-mars 1980*, p. 120-121
pour la traduction française.

8 À partir de 1967-68, des millions de jeunes citadins sont
envoyés à la campagne pour se « transformer en des paysans de type nouveau ». Cette politique du *xiafang* (dis-
persion vers la base) n'est pas nouvelle, mais elle n'a

jamais été appliquée sur une si grande échelle. Dix ans plus tard, ces jeunes s'organisent et demandent leur retour en ville.

9 Voir le recueil de nouvelles *Xinglai ba, didi* (Réveille-toi, mon frère) (1978).

10 Sous le pseudonyme de Li Yizhe, trois anciens gardes rouges signent un *dazibao* affiché à Canton en 1974. Ce *dazibao* qui suscite des réactions enthousiastes de la population est aussitôt considéré comme dangereux par Pékin, et on fait arrêter ses trois auteurs. On trouvera la traduction française d'une des nombreuses versions de ce *dazibao* dans *Chinois, si vous saviez* (1976).

11 Les deux magazines *Femmes de Chine* et *Jeunesse de Chine*, respectivement organes de la Fédération des femmes chinoises et de la Ligue de la jeunesse communiste, durent interrompre leurs publications au début de la Révolution culturelle. En effet, les deux principales organisations de masse avec l'union des syndicats avaient été accusées de révisionnisme et furent forcées, à toutes fins pratiques, de suspendre leurs activités. Fin 1979, la Fédération des femmes chinoises et la Ligue de la jeunesse communiste tinrent leurs congrès nationaux et reprirent la publication de leurs magazines.

12 Voir en particulier *Le Sacrifice du nouvel an* et autres nouvelles (Lu Xun, 1972).

Chapitre 1

1a Cité par Croll (1978a), p. 18.

1b Cité dans « Entretien avec Joseph Needham » *in Tel quel*, 1974, p. 43.

2 Voir Tsien, T.H. (1974).

3 Voir Levy (1956).

[4] Yang, 1959, p. 5.

[5] À ce sujet, l'étude de Davis (1977) constitue une excellente analyse de l'influence du modèle familial dans l'organisation des sociétés secrètes.

[6] Voir Xiao (1960).

[7] Outre les ancêtres et les fantômes, il existe aussi des « esprits », dont les liens de parenté avec les vivants sont imprécis ; ainsi, les enfants morts-nés ne sont pas reconnus officiellement comme membres de la famille et sont ainsi condamnés pour avoir péché contre la piété filiale en ne vivant pas (voir Wolf, 1978).

[8] Le lignage se débarrassant de ses membres féminins, les femmes ne comptent pas pour grand-chose dans leur famille consanguine. On ne se donne souvent pas la peine de les doter d'un véritable prénom, un diminutif suffisant jusqu'au jour où, mariées, elles deviennent « l'épouse d'un tel ».

[9] Voir Shiga (1978).

[10] Voir Buck (1937).

[11] Sur les différentes périodes de la vie d'un individu, voir Levy (1949).

[12] Fox (1967), p. 116.

[13] Voir Meijer (1978) et Yang (1959).

[14] Enquête dans un village de la région de Canton (Yang, 1959).

[15] Il existe cependant des tendances au lévirat au sein des couches plus pauvres.

[16] Il ne faut pas confondre bigamie et concubinage. Cette dernière institution est généralisée dans les couches aisées. La sensualité du mari n'en est pas toujours le mobile principal. Souvent, ce sont la stérilité de la femme

principale ou son incapacité à procréer des enfants mâles. La piété filiale exige la conservation de la famille et la poursuite ininterrompue du culte des ancêtres. L'achat d'une concubine (*jie*) se fait souvent avec l'assentiment de l'épouse (qui n'aurait de toute façon jamais l'audace de s'interposer). Les concubines sont officiellement placées sous l'autorité de celle-ci. Bien que membres de la famille, les concubines ne jouissent d'aucun prestige social, alors que le statut du mari rejaillit sur la femme principale. Les concubines peuvent être renvoyées n'importe quand ; elles appellent le mari « maître » et doivent observer une attitude effacée. Peu de paysans ont les ressources économiques leur permettant d'agir selon l'adage : « On prend une épouse pour sa vertu, une concubine pour sa beauté. »

[17] Voir Hu (1974).

Chapitre 2

[1] Pour l'application de l'analyse marxiste à la situation historique chinoise, voir Starr (1979).

[2] Voir *Analyse des classes de la société chinoise* (Mao, 1926), et *De la démocratie nouvelle* (Mao, 1940).

[3] *Enquête sur le Hunan* (Mao, 1945).

[4] Belden (1949, p. 316-337).

[5] Wong (1971, p. 154).

[6] Hellström (1962).

[7] La plus importante de ces réglementations est « Les règlements sur l'enregistrement du mariage » promulgués en 1955.

[8] Hu (1973, p. 64).

[9] Voir Lang (1946) et Yang, C.K. (1959).

[10] J'adopte ici la chronologie établie par Wong (1971).

[11] Les mouvements Sanfan (Trois-antis) et Wufan (Cinq-antis) de 1952 constituent les premières tentatives de lutte contre les tendances bureaucratiques et capitalistes. Le mouvement Sanfan attaque les cadres et fonctionnaires qui utilisent leur position sociale pour se jeter dans la corruption, le gaspillage et l'autoritarisme. Le mouvement Wufan est, lui, dirigé contre les capitalistes qui acceptent des pots-de-vin, organisent des fraudes fiscales, volent les biens de l'État, en détournent les contrats et obtiennent de l'information classifiée.

[12] Voir Wong (1971).

[13] Dès cette époque, le mouvement des femmes et les cadres qui en sont responsables seront sous la surveillance étroite du PCC. En effet, celui-ci ne veut pas que les femmes, dans leur lutte pour l'émancipation, génèrent des contradictions antagoniques avec leurs « frères de classe » (voir Croll, 1978).

[14] Couvrant les années 1953 à 1957, le premier plan quinquennal a comme objet de doubler la production industrielle par un taux de croissance annuel de 14 %. Le plan concentre ses efforts sur le développement des régions de l'intérieur : sur 694 projets de grande envergure, 472 se situent dans ces régions.

[15] Pour l'arrière-plan historique, voir des ouvrages généraux tels Guillermaz (1979) et Chesneaux (1977). Pour ce qui est de l'évolution du mouvement de libération des femmes, voir Croll (1978a) et Wolf & Witke (1975).

[16] Voir Wong (1971).

[17] Voir Wong (1971).

[18] Le Grand bond en avant, lancé par le PCC en janvier 1958, dure environ deux ans. Le but de ce mouvement

était d'accroître très rapidement la production dans tous les domaines. Il s'accompagne d'une certaine décentralisation qui fera elle-même pression sur les unités de production rurales et urbaines pour qu'elles atteignent des niveaux de production sans précédent. Par ailleurs, le mouvement met l'accent sur l'adoption de techniques indigènes et les projets d'investissement à haut taux de main-d'oeuvre, ce qui contraste avec l'emphase mise sur les techniques modernes à la période précédente. C'est la politique du « marcher sur ses deux jambes ». À la campagne, le Grand bond précède de quelques mois la formation des communes populaires. La collectivisation de la terre s'y double d'une collectivisation à outrance des services et de la vie paysanne. Par ailleurs, les paysans sont encouragés à créer des unités industrielles dans leurs communes. C'est là l'origine des hauts-fourneaux maison installés dans les cours rurales. Malgré tous ses excès, le Grand bond a tout de même permis aux paysans de s'initier à l'industrie et leur a probablement ouvert des horizons nouveaux.

[19] *Peking Review*, 1964, p. 11-19.

[20] Voir l'analyse historique de Wong (1971).

[21] Vogel (1965).

[22] Un exemple entre plusieurs : le film *La fille aux cheveux blancs*. Les liens amoureux existants dans la première version de 1950 ont tout à fait disparu dans les versions dansées ou chantées produites durant la Révolution culturelle.

[23] Voir Michel (1978) et Bernstein (1977).

[24] La critique contre Lin Biao et Confucius n'était en fait qu'un outil de lutte entre la faction loyale à Zhou Enlai et la faction des « quatre », chacun s'attaquant au travers de Confucius et de Lin Biao (voir Cadart, 1977).

Chapitre 3

1 *Femmes de Chine*, 1978, 8, p. 29.

2 Michel (1978), p. 87.

3 Observations personnelles lors d'un séjour d'une semaine dans la brigade Octobre dans la banlieue de Nanjing.

4 Informateurs.

5 *Femmes de Chine*, 1978, 9, p. 31.

6 *La Chine en construction*, 1981, 3, p. 19.

7 *Femmes de Chine*, 1978, 8, p. 23.

8 Voir Michel (1978).

9 Données fournies par le département d'économie politique de l'Université de Nanjing.

10 Voir, entre autres, *Femmes de Chine*. Pour une très bonne description visuelle d'un mariage urbain, se référer au film de Georges Dufaux (1981) produit par l'ONF, *Guidao : Quelques Chinoises nous ont dit.*

11 Un jin = 0,5 kg environ ; *Femmes de Chine*, 1978, 9, p. 31.

12 *Le Quotidien des ouvriers*, 1981, 5.

13 *Femmes de Chine*, 1979, 7, p. 31.

14 Voir en particulier *Femmes de Chine*, 1979, 10, p. 9-11 ; et *Hongqi*, 1979, 3.

15 *La Chine en construction*, 1981, 3, p. 19.

16 On appelle de telles jeunes filles, les *gaojia guniang* (jeunes femmes de haute valeur), *Femmes de Chine*, 1979, 10, p. 10.

17 *Femmes de Chine*, 1978, 11, p. 26.

18 *Idem*, p. 28.

19 *Idem*, p. 28.

[20] Voir Michel (1978).

[21] Informateur et Michel (1978).

[22] Les étudiants n'ont pas le droit de se marier avant la fin de leurs études (règlements universitaires).

[23] *Femmes de Chine*, 1978, 9, p. 30.

[24] *Idem*, 1978, 9, p. 31.

[25] *Idem*, 1978, 8, p. 28.

[26] *Idem*, 1978, 12, p. 27-30.

[27] *Idem*, 1979, 1, p. 24.

[28] *Idem*, 1979, 1, p. 23.

[29] *Ibid*.

[30] Les cadres sont généralement regroupés en trois groupes hiérarchiques, des cadres de la base aux cadres dirigeants ou cadres supérieurs (*gaoji ganbu*). Ces attitudes caractéristiques des cadres sont souvent tournées en ridicule dans la presse quand elles ne sont pas sévèrement critiquées comme c'est le cas pour l'affaire Gao Yanfang.

[31] Malgré des tendances pernicieuses au sensationnalisme, *Apocalypse Mao* n'en contient pas moins une description succincte et intéressante de la journée de travail d'un cadre (Broyelle, 1980, p.236-244).

[32] *Femmes de Chine*, 1979, 1, p. 20 et suivantes.

[33] *Ibid*.

[34] *La Chine en construction*.

[35] *Ibid*.

[36] L'enregistrement du mariage est le seul moyen de contrôle légal et officiel qui puisse témoigner du respect de la loi sur le mariage. À l'enregistrement, on demande aux fiancés de relater les circonstances de leur rencontre pour vérifier s'ils se connaissent effectivement. Par

ailleurs, l'enregistrement du mariage ne constitue pas un véritable engagement social. En effet, même s'il a obtenu son certificat de mariage, le jeune couple ne se considérera pas comme marié et ne vivra pas sous le même toit tant que les festivités traditionnelles du mariage n'auront pas eu lieu.

[37] Informateurs.

[38] *La Chine en construction*, 1981, 3, p. 27.

[39] Depuis 1977, la presse chinoise critique la théorie de l'héritage politique par le sang qui veut qu'un fils issu d'une famille politiquement impure en ait gardé des stigmates indélébiles qui en font un citoyen de loyauté douteuse. Voir Dai (1971) pour une description de la situation qui prévalait auparavant.

[40] À cet égard, la situation des jeunes instruits revenus en ville est très difficile et génère de nombreux conflits. Tout se passe comme si le célibat était stigmatisé et, après 25 ans, les jeunes célibataires sans espoir de mariage sont à la fois plaints et méprisés.

Chapitre 4

[1] Pour une description détaillée des mécanismes de ces « prises de pouvoir » locales, se référer à la nouvelle de Liu Binyan, *Entre les hommes et le démon*, qui se fonde sur une enquête de l'auteur dans le comté de Bin, province du Heilongqiang. Il décrit l'ascension d'une femme nommée Wang Shouxin qui a été, au début de 1980, jugée et condamnée à mort pour ses divers crimes.

[2] Zhang Zhixin, membre du PCC, s'est opposée dès les débuts de la Révolution culturelle aux politiques mises de l'avant par la « bande des quatre ». Elle fut emprisonnée en 1969 puis exécutée en avril 1975. La cruauté

dont elle fut l'objet (on lui a coupé les cordes vocales le jour de l'exécution pour l'empêcher de chanter l'Internationale) en a fait une martyre et un modèle de clairvoyance et de détermination révolutionnaire. Voir *Femmes de Chine*, 1979, 7, p. 2-15.

3 En octobre 1978, le *Quotidien du peuple* menait une enquête sur un cadre supérieur de la municipalité de Taiyuan, capitale de la province du Shanxi, qui s'était littéralement adjugé les deux étages supérieurs du plus grand hôtel de la ville, y avait fait emménager sa famille et avait monopolisé pendant plus d'un an une partie du personnel d'un hôpital pour le soigner. Ceci constitue un cas type des nombreuses enquêtes parues au sujet de tels cadres dans les journaux nationaux et locaux.

4 Dans certaines régions, il semble que l'effet des politiques économiques en vigueur depuis la Révolution culturelle ait provoqué un retour à des formes plus « familiales » d'exploitation agricole. Il faut aussi noter qu'en 1981, l'État encourage une telle forme d'exploitation dans certaines régions ; William Hinton a personnellement visité de telles communes où les paysans en sont revenus aux bandes de terre individuelles (informateurs).

5 Depuis le début de l'année 1980, la situation s'est sensiblement améliorée comme en témoigne cette famille chinoise qui nous affirmait pouvoir enfin fêter un nouvel an dans la tradition, après plus de dix ans de baisse dans la variété des produits de consommation disponibles.

6 Se référer à Dai (1971) et aux autres mémoires de jeunes gardes rouges de même qu'à Michel (1978).

7 Durant la Révolution culturelle, la cérémonie du mariage comprenait un salut quasi réglementaire à la photographie du Président Mao, coutume qui provient directement de la tradition (informateurs).

8 « Notre pays a été longtemps sous la domination féodale ; l'économie, la culture y sont relativement arriérées, la pensée autoritaire féodale et le style patriarcal persistent donc encore de nos jours » (Yu Haocheng, 1979, p. 21).

9 Communication personnelle.

10 Faits rapportés dans plusieurs journaux locaux durant la critique de la « bande des quatre ».

11 Département d'économie de l'Université de Nankin.

12 *Idem.*

13 Le salaire mensuel moyen pour un ouvrier est de 60 yuans.

14 Sur l'importance de la persistance d'un secteur familial dans l'agriculture, voir l'article écrit par la Fédération des femmes de Chine de la province du Sichuan dans *Hongqi* (1979, p. 3).

15 Voir en particulier la série d'articles sur Yan Honghua (Jeunesse de Chine, 1979, nos 3, 4 et 5), et surtout Guo Nanning et Chen Erhui (1979).

16 Certaines communes ont effectivement des programmes de retraite mais c'est loin d'être la règle dans l'ensemble.

17 *Femmes de Chine*, 1978, 8, p. 26-27.

18 Voir Lewis (1963) et Diamond (1975).

19 D'après l'enquête de Myrdal, les fils, la fille, les neveux et autres parents du vieux secrétaire du PCC du village, Li Yuehua, étaient tous à des postes impliquant un certain pouvoir politique, à tous les échelons, de l'équipe de production de la commune.

20 Voir Yang (1959), chapitre 1.

21 Voir Croll (1978b).

22 Pour les données statistiques, voir Hong (1976).

23 Notes personnelles.

24 Concerned Asian Scholars (1972), p. 282.

25 Voir Croll (1978b).

26 Au cours d'une discussion organisée avec des cadres de la Fédération des femmes chinoises de la municipalité de Shanghaï, il fut affirmé que le mouvement d'émancipation des femmes ne doit en aucun cas confiner à l'égalitarisme qui, en 1979-1980, était violemment critiqué comme un des mauvais fruits de la Révolution culturelle (communication personnelle).

27 *Femmes de Chine*, 1978, 2, p. 37.

28 *Idem*, 1979.

29 Michel (1978), p. 116.

30 *Jeunesse de Chine*, 1978.

31 *Idem*, 1978.

32 Sur les conflits de générations, voir *Jeunesse de Chine*.

33 Voir le recueil *Xinglai ba, didi* (Réveille-toi, petit frère).

34 Voir *Jeunesse de Chine*, 1979, 6, p. 12-16.

35 Voir Cheng (1979) pour les données statistiques.

36 Voir *Jeunesse de Chine*, 1980.

37 Voir, entre autres, *Jeunesse de Chine*.

38 *Jeunesse de Chine*, 1978, 3, p. 14.

39 Voir l'ensemble des articles relatifs à ce sujet dans *Femmes de Chine* et *Jeunesse de Chine*, en particulier.

Bibliographie

1. Livres et périodiques en français et en anglais

AHERN, Emily N., 1978, « The power and pollution of Chinese Women », *in* A.P. Wolf (Ed.), *Studies in Chinese society*, Standford, Standford University Press, p. 269-290.

BAKER, H.D.R., 1979, *Chinese Family and Kinship*, London, Mc Millan Press.

BELDEN, J., 1949, *China Shakes the World*, U.S.A., Pelican Books, 1973.

BERNSTEIN, T.P., 1977, *Up the Mountains and Down to the Country Side: the transfer of youth from urban to rural China*, New York, Yale University Press.

BROYELLE, Claudie et Jacques, 1980, *Apocalypse Mao*, Paris, Grasset.

BUCK, H.L., 1937, *Land Utilization in China, Statistics*, Chicago.

BUXBAUM, D.C., 1978, « A case study of the dynamics of family law and social change in rural China », *in* D.C. Buxbaum (Ed.), *Chinese Family Law and Social Change in Historical and comparative perspective*, Seattle, University of Washington Press, p. 217-260.

CADART, Claude, CHENG, Yinghsiang, 1977, *Les deux morts de Mao Tsé-Toung, Commentaires pour « Tian An Men l'empourprée » de Hua Lin*, Paris, Seuil.

CHENG, Wingfun, 1979, « Le chômage chez les jeunes : le système D. », *Paris Pékin*, 1, p. 75-76.

CHESNEAUX, J., 1977, *La Chine : un nouveau communisme, 1949-1976*, Paris, Hatier.

Chine en construction (La), mensuel, Beijing.

COMMITTEE OF CONCERNED ASIAN SCHOLARS, 1972, *China! Inside the People's Republic*, New York, Bantam Books.

CROLL, Elizabeth, 1978a, *Feminism and Socialism in China*, London, Routledge & Kegan Paul.

CROLL, Elizabeth, 1978b, « Female solidarity groups as a power base in Rural China », *Sociologica Ruralis*, 1978, 18, 2-3, p. 140-157.

DAI, Hsiao Hai, 1971, *Mémoires d'un garde rouge*, Paris, Albin Michel.

DAVIS, Feiling, 1977, *Primitive Revolutionaries of China: A study of secret societies of the late nineteenth century*, Hong-kong, Heinemann Educational Books Ltd.

DIAMOND, Norma, 1975, « Collectivization, kinship and the status of women in China », *Bulletin of Concerned Asian Scholars*, 1, p. 25-32.

DULL, J.L., 1978, « Marriage and divorce in Han China: a glimpse at pre-confucian society », *in* Buxbaum, D.C. (Ed.), *Chinese Family and Social Change in Historical and Comparative Perspectives*, Seattle, University of Washington Press, p. 23-74.

ENGELS, F., (1891), *L'Origine de la famille, de la propriété privée et de l'État*, (4e éd. rév.), Moscou, Éditions du Progrès, 1979.

« Entretien avec Joseph Needham », 1974, *Tel quel*, 59, p. 40-48.

Far Eastern Economic Review, Hong-kong.

FEI, Xiaotong, 1953, *China's Gentry, Essays on Rural-Urban Relations*, revised and edited by Margaret Park Redfield, Chicago, University of Chicago Press.

FOX, R. (1967), *Anthropologie de la parenté*, Paris, Gallimard, 1972.

GAMBLE, S.D., *How Chinese Families Live in Peiping*, Funk & Wagnalls Cie.

GEERTZ, C., 1973, *The Interpretation of Culture*, New York, Basic Books.

GRANET, Marcel, (1929), *La Civilisation chinoise*, Paris, Albin Michel, 1968.

GUILLERMAZ, J., 1979, *Le Parti communiste chinois au pouvoir*, tomes I et II, Paris, Petite Bibliothèque Payot.

HAI, Fong, 1973, « *Women's movement in Communist China* »: *Communist China in 1971*, Hong-kong, Union Research Institute.

HELLSTROM, Inger, 1962, « The Chinese family in the Communist revolution: aspects of the changes brought about by the communist government, *Acta Sociologica*, 4, p. 256-277.

HONG, L.K., 1976, « The role of women in the People's Republic of China: Legacy and Change », *Social problems*, 5, p. 545-557.

HSIUNG, J.C., 1970, *Ideology and Practice. The Evolution of Chinese Communism*, New York, Praeger Publishers.

HSU, F.L.K., 1968, « Chinese kinship and chinese behavior », *in* HO, P.T., Tsou, T. (Ed.), *China in Crisis*, Book Two, Volume One: *China's Heritage and the Communist Political System*, Chicago, University of Chicago Press, p. 579-608.

HU, C.H., 1973, « Mao Tsé-Toung, la révolution et la question sexuelle », *Tel quel*, 1974, 59, p. 49-70.

LANG, Olga, 1946, *Chinese Family and Society*, New Haven, Yale University.

LATTIMORE, Owen (1940), *Inner Asian Frontiers of China*, Boston, Beacon Press, 1962.

LEVY, M. (1949), *The Family Revolution in Modern China*, New York, Octagon, 1971.

LEVY, M., 1956, « Contrasting factors in the modernization of China and Japan », *Economic Development and Cultural Change*, 4.

LEWIS, John, 1963, *Leadership in Communist China*, Ithaca, Cornell University Press.

LI, Yizhe, 1976, *Chinois si vous saviez. À propos de la démocratie et de la légalité sous le socialisme*, Paris, Christian Bourgeois.

LOI, Michelle, 1974, « L'émancipation de la femme », *in La Chine pour nous*, Paris, Resna, p. 145-163.

LU, Xun, 1972, *Selected Stories*, Pékin, Éditions en langues étrangères.

MAO, Zedong, 1926, « Analyse des classes de la société chinoise », *in Oeuvres choisies*, tome I, Pékin, Éditions en langues étrangères, p. 9-19.

MAO, Zedong, 1939, « La révolution chinoise et le Parti communiste chinois », *in Oeuvres choisies*, tome II, Pékin, Éditions en langues étrangères, p. 325-358.

MAO, Zedong, 1940, « De la démocratie nouvelle », *in Oeuvres choisies*, tome II, Pékin, Éditions en langues étrangères, p. 363-411.

The Marriage Law of the People's Republic of China, 1975, Pékin, Éditions en langues étrangères.

MEIJER, M.J., 1978, « Marriage law and policy in the People's Republic of China », *in* D.C. Buxbaum (Ed.), *Chinese Family Law and Social Change in Historical and Comparative Perspective*, Seattle, University of Washington Press, p. 436-483.

MICHEL, Jean-Jacques, HUANG, He, 1978, *Avoir 20 ans en Chine... à la campagne*, Paris, Seuil.

MYRDAL, Jan, 1965, *Report from a Chinese Village*, New York, Pantheon.

SALAFF, Janet W., 1973, « The emerging conjugal relationship in the People's Republic of China », *Journal of Marriage and the Family*, 4, p. 705-717.

SHIGA, S., 1978, « Family property and the law of inheritance in traditional China », *in* D.C. Buxbaum (Ed.), *Chinese Family Law and Social Change in Historical and Comparative Perspective*, Seattle, University of Washington Press, p. 109-150.

SIDANE, Victor, 1980, *Le Printemps de Pékin: novembre 1978-mars 1980*, Paris, Gallimard.

STARR, J.B., 1979, *Continuing the Revolution: the political thought of Mao*, Princeton, The Princeton University Press.

TAI, Y.H., 1978, « Divorce in traditional China », *in* D.C. Buxbaum (Ed.), *Chinese Family Law and Social Change in Historical and Comparative Perspective*, Seattle, University of Washington Press, p. 75-106.

THORBORG, Marina, 1978, « Chinese Employment Policy in 1949-1978 », *in Chinese Economy Post-Mao: A compendium of papers submitted to the joint economic committee congress of the United States*, vol. 1: *Policy and Performance*, Washington, US Government Printing Office, p. 535-604.

TSIEN, T.H., 1974, « L'évolution de la famille », *in La Chine pour nous*, Paris, Resna, p. 123-143.

TSIEN, T.H., 1978, « L'influence politico-économique dans la transformation du système familial chinois », *in Famille, droit et changement social dans les sociétés contemporaines*, Travaux des VIIIᵉ Journées d'études juridiques, Jean Dabin, organisées par le Centre de droit de la famille, Bruxelles.

VOGEL, E.F., 1965, « From friendship to comradeship: the change in personal relations in communist China », *China Quaterly*, 21, p. 46-60.

von MOELLENDORFF, P.G., 1896, *Le Droit de famille chinois*, Paris, Ernest Leroux.

WANG, Tsang-Pao, 1933, *La Femme dans la société chinoise*, Paris, A. Pedone.

WATSON, A.J., 1973, « A revolution to touch men's souls: the family, interpersonal relations and daily life », *in* S.R. Schram (Ed.), *Authority Participation and Cultural Change in China*, Cambridge, Cambridge University Press, p. 291-330.

WOLF, A.P., 1978, « Gods, ghosts and ancestors », *in* A.P. Wolf (Ed.), *Studies in Chinese Society*, Standford, Standford University Press, p. 131-182.

WOLF, M., WITKE, R., 1975, *Women in Chinese Society*, Standford, Standford University Press.

Women of China, Beijing.

WONG, Aline Kan, 1971, « Changes in marriage and family institution in China, 1949-1979 », *in* S.S. Chin, F.H. King (Ed.), *Selected Seminar Papers on Contemporary China I*, Hong-kong, University of Hong-kong, p. 149-178.

XIAO, G.C., 1972, *Rural China: imperial control in the 19th century*, Seattle, University of Washington Press.

YANG, C.K., 1959, *The Chinese Family in the Communist Revolution*, Cambridge, Massachusetts Institute of Technology.

II. Sources en langue chinoise

Drapeau rouge (*Hong Qi*), Beijing.

Femmes de Chine (*Zhongguo Funu*), Beijing.

Histoire de la Chine ancienne (I et II) (*Zhongguo gudai shi*; I, II), Nanjing, Bureau de recherche en histoire ancienne, département d'histoire, Université de Nanjing, 1977.

Jeunesse de Chine (*Zhongguo Qinnian*), Beijing.

LIU, Binyuan, 1979, « Entre l'homme et le démon » (Renyao zhijian) *in Entre l'homme et le démon et autres nouvelles* (*Ren yao zhi jian ji qita*), Yangzhou, École normale de Yangzhou, p. 229-282.

Réveille-toi, mon frère (*Xing lai ba, didi*), Guangdong, Renmin Chubanshe, 1978.

WANG, Jing, 1979, « Dans les archives de la société » (Zai shehui de dangan li), *in Entre l'homme et le démon et autres nouvelles* (*Ren yao zhi jian ji qita*), Yangzhou, École normale de Yangzhou, p. 1-47.

Table des matières

Achevé d'imprimer
en février mil neuf cent quatre-vingt-quatre
sur les presses de l'Imprimerie Gagné Ltée
Louiseville - Montréal.
Imprimé au Canada